ДЖОН ГРИШЭМ

ДЖОН ГРИШЭМ

ТРИБУНЫ

 act
ИЗДАТЕЛЬСТВО
МОСКВА

УДК 821.111(73)
ББК 84 (7Сое)
Г85

John Grisham
BLEACHERS

Перевод с английского Д. Кунташова

Оформление А. Кудрявцева

Компьютерный дизайн В. Воронина

Печатается с разрешения Belfry Holdings, Inc.
и литературных агентств The Gernert Company, Inc.
и Andrew Nurnberg.

Подписано в печать 20.06.08. Формат 84x108^1/$_{32}$.
Усл печ л. 11,76. Тираж 15 000 экз. Заказ № 8968.

Гришэм, Д.

Г85   Трибуны : [роман] / Джон Гришэм; пер. с англ. Д. Кунташова. — М.: АСT: АСT МОСКВА, 2008. — 221, [3] с.

ISBN 978-5-17-052862-2 (ООО «Издательство АСT»)
ISBN 978-5-9713-9664-2 (ООО Издательство «АСT МОСКВА»)

Встреча старых школьных друзей, игравших в одной футбольной команде, пробуждает давние воспоминания.

Былая трагедия — и юношеская любовь.

Мальчишеская жажда приключений — и сложные отношения со взрослыми, дерзкие мечты — и крах больших надежд..

Прошлое давно умерло?

Нет. Иногда его можно изменить и взять реванш за давний проигрыш.

УДК 821.111(73)
ББК 84 (7Сое)

Посвящается Таю, его замечательным друзьям-футболистам, их превосходному тренеру и двум победам команды в чемпионате штата.

ВТОРНИК

Дорога к стадиону проходила рядом со школой Отгороженная двумя идеально ровными рядами красно-желтых кленов, посаженных болельщиками, дорога тянулась за старым залом около теннисных кортов и сначала поднималась на холм, а потом спускалась в низину, оканчиваясь асфальтированной стоянкой на тысячу машин. Вход на поле «Рейкфилд» обозначали помпезные кирпичные ворота и железная арка. Площадку за воротами окружала металлическая ограда. Сюда по пятницам сходились жители городка Мессина, чтобы броситься на трибуны, занять расписанные заранее места и понаблюдать за нервными предматчевыми ритуалами. Черные асфальтовые пятачки вокруг «Рейкфилда» переполнялись задолго до открытия. Поэтому вереницы автомобилей рассредоточивались на подступах к стадиону — на пыльных обочинах, в аллеях или на стоянках за школьным кафетерием и полем для бейсбола.

Тогда в Мессине становилось жарко даже болельщикам команды-противника. Тем более — игрокам.

Нили Крэншоу медленно ехал к полю «Рейкфилд». Медленно — потому что он не был здесь много лет, и при виде огней стадиона перед глазами вставали картины его бурного прошлого. Машина легко катилась по дороге, отгороженной красными и желтыми кленами в последней, по-осеннему яркой листве. Когда-то, в дни прошлой славы, стволы этих кленов были всего фут толщиной. Теперь над головой Нили смыкались могучие ветви, и листья будто снежинки сыпались на дорогу к полю «Рейкфилд». Погожий октябрьский день клонился к закату. С севера тянуло предвечерним холодком.

Остановившись ближе к воротам, Крэншоу принялся изучать поле. Теперь движения Нили были замедленными — словно звуки и картины иной жизни навалились на него тяжким грузом. Во времена их молодости поле не называли никак, да и зачем: в Мессине все знали это место просто как Поле. В кафе в центре города могли сказать так: «Сегодня утром ребята выходили на Поле». «В котором часу покидаем Поля?» — спросили бы в «Ротари-клубе». «Рейк сказал, что Полю нужны новые открытые трибуны», — сообщили бы на собрании болельщиков.

«Вчера вечером Рейк уделал их на нашем Поле» — так заявили бы в пивных северной окраины.

Ни один клочок земли не имел в Мессине такого совершенно особого смысла. Даже кладбище.

После ухода Рейка поле стали называть его именем. К тому времени Нили уехал из города, разумеется, надолго и не планируя возвращаться. В глубине души он знал, что этот день наступит, придет обязательно — в каком-то пока неизвестном ему будущем. Настанет день, когда его позовут. Впрочем, Нили еще не до конца разобрался, зачем возвращается. Конечно, он знал, что Рейк рано или поздно умрет и что будут похороны и сотни бывших «Спартанцев» в зеленой форме встанут у гроба, оплакивая уход человека-легенды, которого они так любили и одновременно ненавидели. Впрочем, Нили Крэншоу слишком долго повторял себе, что не вернется на Поле до тех пор, пока Рейк жив.

Вдали, за гостевыми трибунами, располагались сразу две тренировочные площадки, над одной горел свет. Подобной роскоши не имела ни одна школа в штате, и ни один город не поддерживал свою футбольную команду так яростно и единодушно, как Мессина. Нили различал звуки тренерского свистка, удары и глухие возгласы сталкивающихся друг с другом игроков. К пятничному вечеру готовился действующий состав «Спартанцев». Пройдя за ворота,

Нили пересек беговую дорожку, естественно, выкрашенную в темно-зеленый цвет.

Хотя газон в конечной зоне был аккуратно подстрижен и вполне годился, чтобы на нем толклись футболисты, у створа ворот торчала высокая поросль. В углу поля на траве выделялись одна-две проплешины сорняков, и, когда Нили подошел ближе, ему в глаза бросилась высокая трава, росшая по краю беговой дорожки. В прежние славные деньки на стадион десятками шли добровольные помощники с садовыми ножницами, по четвергам не оставлявшие возле Поля ни одной торчащей травинки.

Но дни той славы миновали. Они канули в небытие заодно с Рейком. В Мессине давно забыли о гордости, и теперь здесь играли в футбол простые смертные.

В свое время тренер Рейк звучно облаял хорошо одетого джентльмена, рискнувшего попрать священный газон ногами. Торопливо отступив, джентльмен обогнул игровую площадку по краю. Приблизившись, Рейк понял, что нарвался на мэра Мессины. Мэр считал себя оскорбленным, а Рейку было наплевать. Никому не позволялось запросто ходить по его Полю. Не привыкший к брани в свой адрес, мэр пытался убрать Рейка, но тренер даже не заметил его нападок. А жители города прокатили мэра на выборах. На один голос «за» оказалось подано четыре «против». Эдди Рейк имел больше влияния, чем все политические деятели Мессины, вместе взятые, и совершенно не думал об этом.

Держась боковой линии, Нили медленно шел к трибунам своей домашней арены, но вдруг, глубоко вздохнув, остановился. Нахлынули воспоминания. Он явственно слышал предматчевый гомон прежней толпы, плотно спрессованной там, на открытых трибунах. Нили видел в центре оркестр, играющий парафраз на тему бесконечно родного боевого гимна «Спартанцев».

Наконец, в нескольких футах перед собой он заметил нервно разминающегося на боковой линии 19-го номера «Спартанцев». Как и всегда, 19-й номер был типичным американским старшеклассником. Быстроногий квотербек — золотые руки, удачно попавший в основной состав, с хорошими физическими данными — не исключено, что с лучшими задатками за всю историю команды из Мессины.

Нили Крэншоу был 19-м номером в той, прошлой жизни.

Пройдя еще несколько шагов по боковой линии и остановившись у пятидесятифутовой отметки, на которой Рейк провел сотни матчей, Нили снова посмотрел на трибуны, однажды в пятничный вечер собравшие десятитысячную толпу зрителей, пришедших выплеснуть эмоции, глядя на игру обычной школьной команды.

Как слышал Нили, стадион больше не собирает и половины той толпы.

Пятнадцать лет минуло с тех пор, когда цифры на его футболке заставляли трепетать сердца множества зрителей. Пятнадцать лет прошло с тех пор, как Нили играл на священном газоне.

Сколько раз он зарекался не делать того, что сделал? И сколько раз говорил себе не возвращаться?

Нили почти не обратил внимания на свисток тренера и на возгласы, доносившиеся с тренировочного поля. В его ушах звучали барабаны оркестра, незабываемый скрипучий голос обращавшегося к публике мистера Бо Майкла и грохот трибун, на которых вскакивали с мест раззадоренные болельщики.

Он слышал, как рявкает и ворчит Рейк, хотя в пылу битвы тренер редко терял самообладание.

Он видел, как группа поддержки в коротких юбочках распевает и приплясывает на своем обычном месте. Подтянутые, загорелые девчонки с крепенькими ножками.

Родители всегда сидели на сороковом, восемью рядами ниже прессы. Перед начальным ударом Нили махал рукой матери. Уверенная, что сын вот-вот сломает себе шею, она каждую игру молилась за него.

Вербовщикам из колледжей отводили лучшие места со спинками в пятидесятом ряду. На матче с «Гарнет-Сентрал» кто-то насчитал тридцать восемь таких гонцов — и всех интересовал номер 19-й. Сто колледжей направили Крэншоу письма с приглашениями. В тридцати одном ему предлагали стипендию. Отец до сих пор хранит эти письма. Когда Нили подписал предложение из «Тека», по этому поводу устроили пресс-конференцию, а событие немедленно попало в новости.

Трибуны вмещали десять тысяч зрителей, при том что население городка составляло всего восемь. Арифметика не работала. Сюда ехали со всей округи и из любого захолустья, где нечем себя занять в пятничный вечер. Получив недельную зарплату, приехавшие брали пиво и отправлялись в город, на Поле, чтобы сбиться в большую осипшую массу на северной трибуне и орать громче, чем студенты, оркестр и все городские, вместе взятые.

Когда Нили был мальчишкой, отец не разрешал ему даже приближаться к северной трибуне. Оккупировавшая трибуну деревенщина пила, иногда устраивала потасовки и вечно ругала местное начальство на чем свет стоит. Через несколько лет Нили полюбил эту разгульную публику, и в ответ они так же обожали 19-го.

Сейчас трибуны молчали, будто замерли в ожидании. Сунув руки в карманы, Нили медленно шел вдоль боковой линии. Забытый герой прошедшего времени, чья звезда закатилась слишком быстро. Три сезона — квотербек в Мессине. Больше сотни тачдаунов, когда Нили врывался с мячом в эндовую зону. И он ни разу не проиграл на своем поле. Хотя Нили изо всех сил старался не думать об этом, к нему быстро возвращались детали матчей. Те дни миновали, сотни раз говорил он себе. Ушли безвозвратно.

Болельщики поставили в южной зоне огромное табло со счетом, вокруг которого расположили плакаты с историей футбола Мессины, написанной жирным зеленым шрифтом. По сути, с историей самого города. Отыгранные без единого поражения сезоны 1960 и 1961 годов, когда Рейку не было и тридцати. Потом, в 1964-м, начался период оглушительного успеха. «Полоса удачи». Они всегда выигрывали, что продолжалось до конца десятилетия и в начале следующего. Через месяц после того, как в 1970-м родился Нили, Мессина проиграла Южному Уэйну в чемпионате штата. Полоса закончилась. Восемьдесят четыре победы подряд — в то время рекорд страны, — и Эдди Рейк, тридцати девяти лет от роду, стал живой легендой.

Отец рассказывал Нили, какое уныние охватило город после проигрыша. Как будто им было недостаточно восьмидесяти четырех сокрушительных побед. Да, та зима казалась беспросветной, но Мессина с честью выдержала испытание. В очередном сезоне команда Рейка разделала Южный Уэйн под орех и выиграла решающий матч за первенство штата со счетом 13:0. Потом были новые чемпионаты штата и новые сезоны — 74-го, 75-го и 79-го.

Дальше началась «засуха». С 1980-го и до 1987 года. когда Нили перешел в выпускной класс, Мессина каждый раз шла сезон без поражения, легко выигрывала отборочные игры, плей-офф — ради того, чтобы продуть в финале штата. В кофейнях Мессины это принимали без радости. Старожилы вспоминали «Полосу удачи». Но однажды одна калифорнийская школа выиграла девяносто матчей подряд. и целый город почувствовал себя обиженным.

Слева от табло зеленые плакаты с белыми буквами славили имена самых известных героев Мессины. Семь номеров в свое время изъяли из оборота и последним — 19-й номер, Нили. Перед ним был номер 56-й, который носил защитник-лайнбэкер Джесс Трапп, попавший в тюрьму после того, как совсем недолго поиграл за Майами. В 1974-м Рейк убрал номер 81-й, принадлежавший Роману Армстеду, единственному «спартанцу» из Мессины, поигравшему в Национальной футбольной лиге.

За южной конечной зоной стоял крытый манеж, которому позавидовал бы любой небольшой колледж. В манеже были зал для занятий с тяжестями, шкафчики, раздевалка с душевыми и ковром на полу. Его построили болельщики, организовав бурную кампанию по сбору средств, продолжавшуюся всю зиму и захватившую город. Никому не приходило в голову экономить, по крайней мере на футбольной команде «Спартанцы» из Мессины. Тренеру Рейку нужны были и тренажеры, и кабинки в раздевалке, и кабинеты для тренеров. В итоге болельщикам пришлось забыть о Рождестве.

Но теперь было по-иному или выглядело иначе, чем прежде. Сразу за воротами манежа Нили заметил монумент с кирпичным основанием, на котором стоял бронзовый бюст. Памятник Рейку изваяли больше оригинала, повторив морщины на лбу, знакомый прищур и придав изображению слегка насмешливое выражение. На голове тренера была неизменная потерявшая форму шапочка его футбольной команды. Бронзового Эдди Рейка отлили пятидесятилетним, а вовсе не тем стариком, каким он стал в семьдесят. Ниже привинчена доска, сверкающими буквами излагавшая детали того, что в Мессине мог рассказать наизусть каждый встречный: тридцать четыре года тренер «Спартанцев», 418 побед, 62 поражения, тринадцать выигранных чемпионатов штата и 84 выигранных матча подряд — с 1964 по 1970 год.

Место, вполне очевидно, служило алтарем. Нили мог представить, как, выходя на поле по пятницам, «Спартанцы» склоняют головы у памятника.

Неожиданно поднявшийся ветер ворошил опавшую листву. Закончив тренировку, грязные и потные игроки усталой трусцой возвращались в крытый манеж. Нили не хотел, чтобы его видели. Пройдя по беговой дорожке, он направился к проходу, сделанному в ограждении, поднялся на тридцатый ряд и сел в одиночестве высоко над полем «Рейкфилд» на открытой трибуне, с которой открывался изумительный вид на восточную долину. Вдали над красно-золотой листвой деревьев поднимались шпили городских церквей. Шпиль слева принадлежал методистской церкви, а кварталом дальше стоял невидимый с трибун симпатичный двухэтажный дом, подаренный Эдди Рейку на пятидесятилетие.

Сейчас, дожидаясь последнего вздоха тренера, в этом доме собрались мисс Лайла, три ее дочери и вся многочисленная семья Рейков. Само собой, что к ним в дом приехало много друзей, на столах была разложена еда и повсюду во множестве стояли цветы.

Приехал ли кто-то из бывших игроков? Нили полагал, что нет.

Возле машины Нили остановился еще один заехавший на стоянку автомобиль. Вновь прибывший «Спартанец» носил пальто, галстук и, так же как Нили, избегал хождения по полю. Заметив Нили, он поднялся к нему на трибуну.

— Давно здесь сидишь? — спросил он, пожав протянутую руку.

— Не очень, — ответил Нили. — Он умер?

— Нет. Еще нет.

За их трехлетнюю совместную карьеру Пол Карри поймал сорок семь из шестидесяти трех пасов от Нили, сделанных в зону тачдауна. Связка Крэншоу—Карри раз за разом оказывалась практически неудержимой. Они одновременно были капитанами одной команды. Они дружили, и жизнь окончательно развела их в стороны лишь спустя много лет. Три-четыре раза в год они звонили друг другу. Дедушка Пола построил первый в Мессине банк, так что будущее парня определилось в момент его рождения. Потом Пол женился на местной девушке из другой известной семьи. Нили был у него шафером и в последний раз приезжал в Мессину как раз на свадьбу.

— Как семья? — спросил Нили.

— Нормально. Мона беременна.

— Ясное дело, беременна. Пятым или шестым?

— Всего лишь четвертым.

Нили покачал головой. Разговаривая, они сидели в трех футах друг от друга, глядя в пространство. Каждый думал о своем. Из-за манежа доносился шум подъезжающих автомобилей и грузовиков.

— Как команда? — спросил Нили.

— Неплохо, выиграла четыре игры. Проиграла две. Тренер — молодой парень из Миссури, не без способностей. Мне он нравится.

— Из Миссури?

— Ага. Никто в радиусе тысячи миль не взялся за эту работу.

— Ты поднабрал вес, — покосившись в сторону Пола, сказал Нили.

— Я банкир и член «Ротари-клуба», но все равно пока еще способен тебя перегнать.

Пол осекся, досадуя на слова, вырвавшиеся явно некстати: левое колено Нили было в два раза больше правого.

— Ясное дело, перегонишь, — с улыбкой ответил Нили. Он не обиделся.

Вместе они наблюдали, как со стоянки отъезжают последние машины игроков, стараясь взвизгнуть резиной. Традиция самых молодых «спартанцев».

Стадион снова опустел.

— Случалось приходить, когда на стадионе уже пусто?

— Было дело.

— А ты бродил вокруг поля, вспоминая, как бывало прежде?

— Бродил. Потом бросил. Так было с каждым из нас.

— Здесь я впервые с тех пор, как дали отставку моему номеру.

— Ты до сих пор не смирился. Живешь в прошлом и мечтаешь, воображая себя квотербеком «Вся Америка».

— Лучше бы мне никогда не видеть футбола.

— В таком городе выбора не было. Уже в шестом классе мы надели форму, которую дал Рейк. Цвета помнишь? Синий, красный, золотой и черный. Только не зеленый — потому что носить этот цвет было мечтой любого мальчишки. Тогда мы играли каждый четверг и по вечерам собирали болельщиков больше, чем остальные классы. Мы играли такие же игры, как Рейк по пятницам. По той же системе. Воображали, будто мы «Спартанцы» и играем перед десятью тысячами фанатов. К девятому классу Рейк лично вел наши тренировки, а мы наизусть помнили все сорок раскладок из его записной книжки. Хоть среди ночи буди.

— Помню их до сих пор, — сказал Нили.

— Я тоже. А еще помню, как на тренировке он заставлял нас два часа бегать на полусогнутых.

— Да, потому что ты постоянно лажался.

— И мы до тошноты носились по трибуне.

— Таким был Рейк, — буркнул Нили.

— Ты считал годы, и наконец приходило время надеть форму университетской команды. Потом ты становился героем, идолом или заводным болваном — в этом городе иначе и быть не могло. Ты выигрывал, выигрывал... Ты был королем в собственном маленьком мире, а затем — пуфф! — карьера окончена, ты играешь в последний раз. Зрители плачут. Невозможно поверить, но за вашей командой приходит другая. И вас тут же забывают.

— С тех пор прошло много лет.

— Пятнадцать лет, дружище. Я приезжал домой, когда учился в колледже, и никогда не ходил на стадион. Не мог даже ездить мимо школы. И я не встречался с Рейком, не было желания. Однажды летним вечером, перед тем как вернуться в колледж и примерно за месяц до вынужденной отставки Рейка, я взял пивка — сразу шесть, целую упаковку, — взобрался сюда и сидел, перебирая в памяти все наши матчи. Просидел так не один час, будто опять видел нас в игре. Представлял, как мы надираем всех подряд. Хорошее было время. Оно закончилось. Осталась лишь боль, а дни нашей славы давно канули, мелькнули как яркий миг.

— Тем вечером ты ненавидел Рейка?

— Нет, я любил его.

— Это каждый день менялось.

— Для большинства из нас.

— Тебе и теперь больно?

— Нет, больше нет. Когда женился, мы взяли сезонный абонемент, потом вступили в клуб болельщиков. В общем, вели себя как все. С годами я стал обычным болельщиком и бросил корчить героя.

— Ходишь на каждую игру?

Пол показал на сектор слева внизу:

— Банк выкупил эти места.

— Для одной твоей семьи?

— Мона очень плодовита.

— Похоже на то. А как она выглядит?

— Выглядит беременной.

— Собственно, я имел в виду формы...

— Хочешь знать, не расплылась ли она?

— Ну да.

— Нет. Мона ест только латук. Упражняется по два часа в день. Выглядит она отлично и хотела пригласить тебя на обед.

— На латук?

— На что пожелаешь. Можно ей звонить?

— Нет, лучше попозже.

Наступило долгое молчание. К воротам подъехала еще одна машина, пикап. Водитель, человек плотного сложения с густой бородой в потертых джинсах и шапочке из джинсовой ткани, передвигался с явным трудом. Обогнув конечную зону, он прошел по краю беговой дорожки. Ступив на трибуну, человек заметил Нили и Пола, сидевших выше и наблюдавших за каждым его шагом. Кивнув, он поднялся на несколько рядов, сел и замер, уставившись взглядом в поле, неподвижный и бесконечно одинокий. Не сразу вспомнив имя, подходящее внешности, Пол наконец произнес:

— Коротышка Орли. Конец семидесятых.

— Помню его. Самый медленный лайнбэкер в истории, — вспомнил Нили.

— И самый приземистый, пожалуй, на всю конференцию*. Отыграл всего год, а потом бросил, чтобы остаток жизни валить лес.

— Ведь Рейк любил лесорубов, так?

— А мы — нет? Четверо лесорубов в защите — и призовое место на чемпионате конференции обеспечено.

Рядом с первым пикапом остановился второй, и к трибунам направился еще один дюжий джентльмен в джинсовой одежде и шапке. Поздоровавшись с Коротышкой Орли, он сел рядом. Их встреча явно не была запланированной.

---

* Объединение спортивных команд одного региона. — *Примеч. ред.*

— Что-то я его не помню, — разочарованно сказал Пол, не сумевший опознать новоприбывшего.

За три с половиной десятилетия Рейк тренировал сотни мальчишек из Мессины и окрестностей, большинство из которых навсегда уезжали отсюда. Но игравшие у Рейка хорошо знали друг друга. Они состояли в очень небольшом братстве, куда не принимали новых членов.

— Тебе нужно чаще сюда приезжать, — сказал Пол, когда пришла пора нарушить молчание.

— Почему?

— Потому что они рады тебя видеть.

— Может, я не хочу их видеть.

— Почему?

— Не знаю.

— Боишься, вспомнят, как ты не сумел обыграть «Хейсман»?

— Нет, не боюсь.

— Они хорошо это помнят, но ты — часть истории. Да, прошло много лет, и все равно для них ты по-прежнему всеамериканская знаменитость. Загляни в кафе «Ренфроуз» — над кассой у Мэгги и сейчас висит твой огромный портрет. По вторникам я хожу туда завтракать, и всякий раз двое каких-нибудь пережитков прошлого начинают выяснять, кто был лучшим квотербеком Мессины — Нили Крэншоу или Уэлли Уэбб. Уэбб пробивался четыре года, выиграл сорок шесть встреч подряд, никогда не проигрывал — и так далее, и так далее... Но Крэншоу приходилось играть против черно-кожих, и те встречи были скоростными и более жест-кими. Да, Уэбб оказался мелковат для большого спорта, а Крэншоу подписал контракт с «Теком». Они могут спорить до бесконечности. Нили, тебя все еще любят.

— Спасибо, я смогу через это перешагнуть.

— Да ладно...

— Это из прошлой жизни.

— Хорошо, проехали. Получай удовольствие от воспоминаний.

— Не могу. Там Рейк.

— Тогда почему вернулся?

— Не знаю.

Откуда-то из недр отличного костюма банкира до-несся зуммер вызова. Нашарив телефон, Пол сказал:

— Карри.

Пауза.

— Я на поле, с Крэншоу.

Пауза.

— Ну да, он здесь. Честное слово. Хорошо.

Сложив, Пол сунул трубку в карман.

— Звонил Силос, — сказал он. — Я ведь ему гово-рил, что ты можешь приехать.

Нили с улыбкой покрутил головой, вспомнив Си-лоса Муни.

— Мы не виделись с тех пор, как окончили школу.

— Если помнишь, он не оканчивал школу.

— Ах да... Я забыл.

— Была одна такая маленькая проблема с полицией. Список 4 «О веществах, не подлежащих свободному обращению». Отец выставил его из дому за месяц до выпускного.

— Теперь вспомнил.

— Несколько недель Силос пожил у Рейка, а потом подался в армию.

— Чем он занимается теперь?

— Ну, скажем так: теперь он точнехонько на середине весьма красочной карьеры. Из армии уволился с оглушительным треском, несколько лет проболтался в море на буровых, потом устал работать, вернулся в Мессину и торговал наркотиками до тех пор, пока не нарвался на выстрел.

— Предположу, что пуля ушла мимо.

— Всего на дюйм, но Силос решил исправиться. Одолжил у меня пять тысяч долларов на покупку обувного магазина старика Франклина и решил, что стал предпринимателем. Сбросил цены на обувь, одновременно удвоил жалованье персоналу и через год обанкротился. Потом продавал места на кладбище, подержанные машины, трейлеры. Какое-то время я ничего о нем не слышал, но однажды Силос явился в банк и вернул деньги, которые задолжал, причем наличными. Сказал, что наконец поймал удачу за хвост.

— В Мессине?

— Ага. Как-то, неизвестно как, он умудрился кинуть старика Джослина, владевшего свалкой металлолома на восточной окраине города, занял его место, привел в порядок склад и устроил в той половине, что выходила на улицу, вполне легальный кузовной бизнес. Живые деньги. Во второй половине склада разместил авторазборку, специализирующуюся в основном на ворованных пикапах. Реально живые деньги.

— Он наверняка не сказал тебе про разборку.

— Нет, даже не намекнул. Но я занимаюсь его банковским счетом — и здесь не бывает секретов. Силос вел дела с бандой автомобильных воров из Каролины, подгонявших ему краденые пикапы. Разбирал машины и продавал их по запчастям. Тут вовсю крутятся наличные, очень большие наличные деньги.

— А что полиция?

— Пока ничего. Хотя рядом с ним нельзя расслабляться. ФБР может в любой момент прийти к Силосу с повесткой. Но я всегда готов.

— Очень похоже на Силоса.

— Он одна большая неприятность. Много пьет, вокруг него вьются женщины, он продает ворованные тачки и выглядит лет на десять старше своего возраста.

— Почему-то я не удивляюсь. Он еще и дерется, как бывало раньше?

— Как всегда. Поаккуратнее говори о Рейке. Никто не любит Рейка так, как Силос. Если что, он на тебе живого места не оставит.

— Будь спок.

Играя в центре нападения или в передовой линии защиты, Силос хозяйничал в середине любого поля, на котором случалось выступать. При росте всего в шесть футов Муни был весьма нехилого телосложения, с огромным торсом, толстой шеей, крепкими руками, ногами и лодыжками. Такая «физика» делала его похожим на силосную башню.

Силос три года играл вместе с Нили и Полом. В отличие от других он зарабатывал по три персональных предупреждения за игру, а однажды получил целых четыре — по одному в каждой четверти. Его дважды прогоняли с поля за удар соперника в пах. Он жил, чтобы видеть перед собой лежащего на земле и вымазанного кровью игрока противоположной линии. «Сейчас он кровью умоется, сучара, — бубнил Силос игрокам, скучившимся на короткое совещание. — Не доживет до конца игры». А Нили только накручивал этого бешеного пса: «Давай, давай вперед — и добивай». Задача Нили сильно облегчалась с каждым выведенным из линии защитником.

Ни одного игрока Мессины тренер Рейк не поносил так часто и с таким энтузиазмом, как Силоса Муни. Никто не заслуживал брани, как он, и ни один игрок не ждал словесного унижения страстно, как Силос.

На северный край трибун — туда, где буйные обитатели пригородов устраивали сумасшедший дом, поднялся пожилой человек. Он занял место в верхнем ряду, сев слишком далеко, чтобы Нили мог его разглядеть. Определенно этот человек хотел побыть в одиночестве.

Уйдя в свои мысли, он замер на сиденье, неотрывно глядя на поле. Вскоре появился первый бегун, медленно затрусивший вокруг поля против часовой стрелки. В этот час на стадион как магнитом тянуло любителей бега и ходьбы, желавших сделать несколько кругов. Рейк не допустил бы подобного абсурда, но сразу после его ухода возникло целое движение за то, чтобы открыть дорожки стадиона для тех, кто за них платил. Ограждать от посягательств газон «Рейкфилд» поручили работникам стадиона, один из которых должен был всегда находиться поблизости.

Как бы не так.

— Где Флойд? — спросил Нили.

— Пока в Нэшвилле. Тренькает на гитаре и пишет никуда не годную музыку. Ловит удачу.

— А Онтарио?

— Он здесь, работает на почте. У них с Такитой трое детишек. Она учительница. По-прежнему очаровательна. И они ходят в церковь пять раз в неделю.

— Значит, он всегда улыбается, как и прежде?

— Да, всегда.

— А что Дэнни?

— Пока здесь. Преподает химию — вон в том здании... Не пропускает ни одной игры.

— Ты когда-нибудь учил химию?

— Никогда.

— И я никогда. Всегда получал «отлично», а учебник даже не открывал.

— Оно тебе надо? Ты же был «Вся Америка».

— Джесс так и сидит в тюрьме?

— Да. Ему еще долго сидеть...

— И где он?

— В Буфорде. Я часто встречал и встречаю его мать, спрашиваю, как он. Она каждый раз плачет, но что я могу сделать?

— Интересно, он знает про Рейка? — спросил Нили.

Недоуменно подняв плечи, Пол помотал головой. В разговоре возникла очередная пауза. Какое-то время оба молча наблюдали за немолодым человеком, с заметным трудом двигавшимся по беговой дорожке. Две шедшие за ним следом полные молодые женщины о чем-то энергично болтали.

— Ты знал эту историю — почему Джесс на самом деле подписался играть за Майами? — спросил Нили.

— Не то чтобы очень. Ходило много слухов про деньги, но Джесс разве скажет?

— Ты помнишь, как отреагировал Рейк?

— Он чуть его не прибил. Думаю, Рейк сам обещал кое-что парням из «Эй-энд-Эм».

— Рейку хотелось громких побед. Он хотел, чтобы я играл за «Стейт».

— Поэтому тебе пришлось уйти?

— Было уже поздно.

— Почему ты согласился играть за «Тек»?

— Мне нравился их квотербек Коуч.

— Их квотербека Коуча не любил никто и никогда. Так почему на самом-то деле?

— Пол, ты действительно хочешь знать?

— Да, Нили, после пятнадцати лет я хочу знать.

— Пятьдесят тысяч долларов наличными.

— О нет...

— Да. «Стейт» предложили сорок, «Эй-энд-Эм» давали тридцать пять, кое-кто из остальных желал заплатить по двадцать.

— Нили, ты никогда этого не рассказывал.

— До сего момента никому не говорил. Дело-то скользкое.

— Ты взял у «Тека» пятьдесят тысяч долларов наличными? — медленно произнес Пол.

— Пятьсот стодолларовых купюр, упакованных в красную холщовую сумку без каких-либо надписей, которую однажды вечером положили в багажник моей машины, пока мы со Скример сидели в кино. Наутро я подписал контракт с «Теком».

— Родители знали?

— Ты рехнулся? Отец позвонил бы в Национальную атлетическую ассоциацию колледжей.

— Почему ты взял деньги?

— Пол, не будь наивным. Все школы платили наличными, это было частью игры.

— Я не наивен. Удивительно, что это сделал ты.

— Почему? Я мог подписать контракт задаром, но мне предложили за деньги. Пятьдесят тысяч баксов для восемнадцатилетнего балбеса — все равно как в лотерею выиграть.

— Тем не менее...

— Пол, все вербовщики платили наличными, и я не помню исключений. Ни одного. Считаю, это было частью бизнеса.

— Куда ты дел деньги?

— Рассовал туда-сюда. Когда уехал в «Тек», купил новую машину. Ненадолго хватило.

— Родители ничего не заподозрили?

— Не особенно. Я был уже в колледже, и они не могли за всем уследить.

— Ты ничего не отложил?

— Для чего откладывать, если регулярно получаешь по ведомости?

— Как это по ведомости?

Сев поудобнее, Нили взглянул на Пола и снисходительно улыбнулся.

— Чего скалишься, задница? — проворчал Пол. — Как жаль, что большинство из нас не играло в первом дивизионе.

— Помнишь, я в первый же год играл кубок «Гатор»?

— Конечно. Мы тут все смотрели.

— Меня выпустили со скамьи на вторую половину. Я сделал три тачдауна, а в самом конце пробежал сто ярдов, получил пас и выиграл матч за секунду до свистка. «Родилась новая звезда». Лучший в стране новичок-первачок и все такое... Когда вернулся в колледж, нашел в почтовом ящике небольшую посылочку. Пять тысяч долларов наличными и записка. «Красивая игра. Продолжай». Подписи не было. Оно и так понятно: продолжаешь выигрывать — деньги продолжают капать. Я не видел смысла откладывать на будущее.

У Силоса на пикапе красовалась роспись, странным образом сочетавшая золотое с красным. Колесные диски отливали серебром, окна казались непроницаемо черными. Пикап остановился рядом с воротами.

— Явился, — сказал Пол.

Нили поинтересовался:

— Какой марки у него машина?

— Вероятно, краденой.

Силос тоже выглядел сделанным словно на заказ: кожаная куртка, как у летчика Второй мировой, черные джинсы, черные ботинки. Он не сбросил вес и не набрал. Медленно шагая вдоль края поля, Силос выглядел как раньше, когда был передним блокирующим. Он шел походкой мессинского «Спартанца», казавшейся ненатуральной, будто вызов, брошенный какому угодно представителю этого беспечного мира. Силос был готов надеть амуницию, схватить мяч и снова проливать кровь, выйдя на поле.

Муни уставился на что-то в самом центре, возможно, увидел там самого себя, каким был давно, или вдруг услышал, как рявкает Рейк. Неизвестно, что слышал или видел Силос, но он несколько секунд постоял у края площадки, а потом засунул руки в карманы и начал взбираться по ступеням. Тяжело дыша, он наконец подошел к Нили. Обхватив его по-медвежьи крепко, Силос поинтересовался, где пятнадцать лет пропадал его квотербек. Обменявшись приветствиями, они, по обыкновению, подначивали друг друга Впрочем, ворошить старое никому не хотелось.

Сев рядом, все трое принялись наблюдать за очередным любителем бега трусцой. Казавшийся немного прибитым Силос глухим полушепотом спросил

— Где сейчас обитаешь?

— В районе Орландо, — сказал Нили

— Что за работа?

— Недвижимость.

— Семья есть?

— Нет, только один развод. А у тебя?

— О... Должно быть, детей у меня до черта, только я ничего про них не знаю. Никогда не женился. Гребешь деньги лопатой?

— Промазал. Меня нет в списке «Форбс»

— А я через годик собираюсь...

Покосившись на Пола, Нили спросил:

— Что у тебя за бизнес?

— Автозапчасти, — коротко ответил Силос. — Сегодня после обеда я заезжал к Рейкам. Там мисс Лайла и девочки. Еще и внуки с соседями. В доме полно народу. Сидят кружком и ждут, когда Рейк помрет.

— Ты его видел? — поинтересовался Пол.

— Нет. Он был в другой комнате, при нем только сиделка. Мисс Лайла говорила, Рейк не хотел, чтобы видели, как он умирает. Сказала, он как скелет.

Они долго молчали, представляя эту картину — как Рейк лежит один в темной комнате и рядом только сиделка, считающая его последние минуты. До дня своего неожиданного увольнения Рейк вел тренировки в бутсах и шортах, без колебаний демонстрируя нужную ему технику блокирования или болевые точки на руке. У Рейка было особое пристрастие к физическому контакту с игроками, и оно вовсе не означало одобрительное похлопывание по плечу. Рейк предпочитал бить, и ни одна тренировка не считалась законченной без того, чтобы тренер не схватил кого-нибудь за шкирку, в гневе отбросив записи. И чем крупнее был оппонент, тем лучше. При отработке блокировок, когда ситуация переставала его устраивать, Рейк мог стать в безукоризненную стойку на «три точки», забрать у противника мяч и врезаться в упакованного с головы до ног защитника, выбрав объект фунтов на сорок тяжелее себя У каждого игрока Мессины был неудачный день, когда тренер падал ему на спину, сбивая с ног одним злым ударом. Рейк особенно любил силовую составляющую футбола и требовал от игроков того же.

Но за тридцать четыре года главный тренер Рейк лишь дважды бил игроков вне поля. В первый раз в шестидесятые, во время памятной схватки между ним и самонадеянным игроком, покинувшим команду, искавшим приключений на свою голову и нашедшим их благодаря Рейку. Вторым был хлесткий удар в лицо доставшийся Нили Крэншоу.

Казалось непостижимым, что сейчас тренер Рейк — усохший старик, хватающий воздух на последнем вздохе

— Я служил на Филиппинах, — произнес Силос и в вечерней прохладе его хриплый голос прозвучал неожиданно громко. — Охранял туалеты для офицеров и ненавидел каждую минуту службы. Я не видел как ты играл за колледж.

— Немного потерял, — сказал Нили

— Мне говорили, ты отлично играл, пока не получил травму.

— Было несколько хороших игр.

— В год выпуска из колледжа он стал игроком недели, — сказал Пол. — В матче с «Пурду» Нили сделал шесть тачдаунов.

— А потом колено, верно? — спросил Силос

— Да.

— Как это случилось?

— Я прорвался вперед, в свободную зону, увидел проход, взял мяч и побежал, не заметив лайнбэкера.

Нили произнес это без выражения — так, словно делал тысячу раз и не хочет повторять еще.

В самом начале футбольной карьеры Силос порвал мениск, и он точно знал, что такое разбитое колено.

— Операция и прочее? — спросил он.

— Целых четыре, — ответил Нили. — Оторванные связки и разбитая коленная чашечка.

— Когда Нили выходил из зоны, лайнбэкер ударил его в колено, — сказал Пол. — Десять раз показали по телевизору. Одному из комментаторов хватило совести объявить это непреднамеренной грубостью. Это же «Эй-энд-Эм», что еще сказать...

— Боль наверняка адская.

— Да, было.

— Нили увезла «скорая». Его оплакивали улицы Мессины.

Силос вздохнул:

— Что правда, то правда. Но этот город нетрудно огорчить. Медицина помогла?

— Как они заявили, травма положила конец спортивной карьере, — ответил Нили. — Лечение лишь ухудшало ситуацию. Я спалился в ту секунду, когда схватил мяч и побежал. Нужно было остаться в «кармане», как учили.

— Рейк никогда не учил тебя сидеть в «кармане»

— Силос, там была совсем другая игра.

— Да, но там играли идиоты толстожопые. Говнюки. Потому меня и не взяли. А я мог стать знаменитым Возможно, был бы первым, кто уделал бы «Хейсман»

— Никто не сомневался, — заметил Пол.

— В «Тек» это хорошо понимали, — кивнул Нили — Часто спрашивали: «Где ваш знаменитый Силос Муни? Почему не подписали контракт?»

— Да, — проворчал Пол, — ты вполне мог бы поиграть за НФЛ.

— А что? Например, за «Пэкерс». Сделал бы хорошие деньги. Плюс девчонки. Короче, житуха.

— Что, Рейк не двигал тебя в юниорский колледж? — переспросил Нили.

— Двигал, но там не хотели, чтобы я доучивался в своей школе.

— Как ты попал в армию?

— Навешал им лапши.

Кто бы сомневался: Силосу пришлось наврать с три короба, чтобы попасть в армию — и, по всей вероятности, чтобы оттуда уволиться.

— Хочу пива, — сказал Силос. — А вы, братва, не откажетесь?

— Я пас, — ответил Пол. — Мне потом домой идти

— А ты?

— Пиво — это хорошо, — заметил Нили

— Задержишься в городе? — спросил Силос.

— Может быть.

— Я тоже. Пока нам здесь самое место.

Ежегодную пытку под названием «Спартанский марафон» придумали специально для открытия сезона. Рейк всегда проводил марафон в день первой августовской тренировки, в самую жару. Каждый, рассчитывавший на поступление в университет, выходил на беговую дорожку в спортивных трусах и кроссовках и по свистку Рейка начинал наматывать круги.

Порядок был очень простой: бегай, пока не упадешь, но двенадцать кругов минимум. Любой, не сумевший продержаться двенадцать кругов, получал возможность повторить марафон на следующий день, а не выполнивший норму со второго захода никогда больше не попадал в мессинские «Спартанцы». Игрок школьной команды, неспособный пробежать три мили, больше не надевал футбольную амуницию.

Круги считали помощники тренера, сидевшие в комнате прессы, где имелся кондиционер. Тренер Рейк не спеша расхаживал по полю между конечными зонами. Наблюдая за бегущими, он по мере необходимости кричал на них и снимал с дистанции тех, кто, по его мнению, бежал слишком медленно. Игроки бегали не на время, но если темп становился прогулочным, Рейк считал это нарушением и сразу снимал с забега. Дисквалифицированных или сошедших с дистанции участников сажали в центре поля, заставляя жариться до тех пор, пока дистанцию не заканчивал последний из бегунов. Правил было немного, но одно состояло в следующем: блюющий участник автоматически удалялся с трассы забега. Само по себе это дело не считалось зазорным или чем-то из ряда вон выходящим — но «травить» полагалось где-нибудь в сторонке, после чего раскисший игрок возвращался на дорожку.

Марафон оказался самым жестким из обширного репертуара суровых тренировочных приемов Рейка, и с годами молодые ребята стали уходить от него в другие виды или вовсе бросали спорт. Если в разгар июля футболисту напоминали про марафон, у того заранее пересыхало во рту и начинало подташнивать. Поэтому до начала августа большинство игроков бегали «пятерку» каждый день, чтобы привыкнуть.

Но из-за марафона игроки «Спартанцев» находились в превосходной спортивной форме. Считалось нормальным, если здоровяк защитник терял за лето двадцать или тридцать фунтов — причем не из-за подружки и не ради лучшей мускулатуры. Меньший вес помогал выжить на «Спартанском марафоне». После соревнований диета обычно заканчивалась — но не так-то легко набрать вес, когда ежедневно проводишь три часа на тренировочном поле.

Наконец, сам тренер Рейк не любил крупных защитников, предпочитая ставить на игру отмороженных типов вроде Силоса Муни.

В последний школьный год Нили продержался тридцать один круг, или добрых восемь миль. Он упал на траву, мучаясь жаждой и слушая, как с другого края площадки его поносит Рейк. В том году марафон выиграл Пол, пробежавший девять с половиной миль, или тридцать восемь кругов. Каждый из игроков твердо помнил номер на своей майке и число кругов, пройденных им в «Спартанском марафоне».

Однажды, спустя какое-то время после травмы коленного сустава, так внезапно поменявшей высокий статус Нили на положение обычного студента «Тека», его узнала в баре приехавшая из Мессины девушка-студентка.

— Слышал новости из дома? — спросила она.

— Какие еще новости? — бросил Нили, которого вовсе не интересовали события в его городе.

— Новый рекорд «Спартанского марафона».

— Неужели?

— Ага. Восемьдесят три круга.

Нили мысленно повторил услышанное, помножил цифры и вслух сказал:

— Примерно двадцать одна миля.

— Ага.

— Кто это сделал?

— Парень по имени Эйгер.

Только в Мессине судачили о свежих новостях с августовского тренировочного поля.

А теперь к ним на трибуны взбирался Рэнди Эйгер в зеленой майке с цифрой «5», выведенной белым с золотой каймой, и в тесных джинсах. Небольшого роста и очень подтянутый для своих лет, Эйгер выглядел так, как должен выглядеть быстроногий ресивер, и даже в «сороковник» показывал отличное время. Первым он узнал Пола. Затем, оказавшись ближе, разглядел Нили.

— Нили Крэншоу? — спросил Эйгер, стоя тремя рядами ниже.

— Верно, — ответил Нили.

Они обменялись рукопожатием. Тут же выяснилось, что Пол знаком с Эйгером. Семья Рэнди владела торговым центром в северной части города. Как и все в этом городе, они держали счета в банке Пола.

Эйгер уселся на следующий ряд. Склонившись к сидевшим впереди Полу и Нили, он спросил:

— Что слышно про Рейка?

— Почти ничего. Еще цепляется, — мрачно ответил Пол.

— Когда ты ушел из спорта? — поинтересовался Нили.

— В девяносто третьем.

— А его выставили?..

— В девяносто втором, в год моего выпуска. Я был одним из капитанов.

Они замолчали, вспомнив тяжелую историю увольнения Рейка. Тогда, окончив колледж, Нили лет пять болтался на севере Канады и пропустил самое интересное. Позже он слышал некоторые детали драмы, при этом убеждая себя, что совершенно не интересуется произошедшим с Эдди Рейком.

— Так ты пробежал восемьдесят три круга? — спросил Нили.

— Ну да. В 1990-м, перед выпуском.

— Рекорд еще держится?

— Угу. А ты?

— Тридцать один. В последнее лето. Восемьдесят три... С трудом верится.

— Мне повезло. Было облачно и не жарко.

— А как же второй? Сколько?

— По-моему, сорок пять.

— Я бы столько не протянул. Ты играл в колледже?

— Нет. Даже в амуниции мне не хватало веса.

— Он два года был лучшим в штате, — добавил Пол. — А рекорд дальности ретерна держится по сей день. Мамаша не могла нормально откормить парня.

— У меня один вопрос, — сказал Нили. — Я пробежал тридцать один круг. Потом упал от боли, а Рейк бранил меня, как собаку. Что конкретно он сказал после восьмидесяти трех?

Пол, уже слышавший эту историю, хмыкнул и криво ухмыльнулся. Эйгер тоже улыбнулся и покачал головой:

— Типично для Рейка. Когда я финишировал, он подошел и сказал, нарочно погромче: «Я-то думал, сделаешь сотню». Понятное дело, Рейк больше обращался к другим. После, в раздевалке, он сказал — правда, гораздо тише, — что это был мужественный бег.

Покинув дорожку, два бегуна поднялись на несколько рядов и сели на трибуне, обратив взоры к Полю. Лет по пятьдесят с небольшим, загорелые и подтянутые, оба щеголяли в дорогих спортивных туфлях.

С досадой на собственную информированность Пол объяснил:

— Парень справа — Бланшар Тиг, местный оптик. Слева — адвокат Джон Коуч. Оба играли в конце шестидесятых, когда была «Полоса удачи».

— Значит, эти ребята не отдали ни одной игры, — сказал Эйгер.

— Это точно. Команда 68-го не потеряла ни одного очка. Двенадцать встреч, двенадцать побед. Они как раз из той команды.

— Жуть, — сказал Эйгер, изображая благоговейный ужас.

— Это мы еще не родились, — заметил Пол.

Сезон без единого потерянного очка требовал минутного обращения к воспоминаниям. Оптик с адвокатом глубоко ушли в разговор, без сомнения, посвященный славным достижениям времен «Полосы удачи».

Пол негромко сказал:

— Через несколько лет после увольнения газета напечатала статью про Рейка. Они привели всю обычную статистику. А кроме того, написали, что за тридцать четыре года он подготовил семьсот сорок игроков. Они вынесли это в заголовок: «Эдди Рейк и семьсот "Спартанцев"».

Эйгер кивнул:

— Я видел эту статью.

— Интересно, сколько их приедет на похороны? — сказал Пол.

— Думаю, большая часть.

Немного освежиться, по представлению Силоса, означало две упаковки пива и двух друзей, которые помогут его выпить. Троица выгрузилась из пикапа, и Силос с коробкой «Будвайзера» на плече возглавил процессию. Одну бутылку он держал в руке.

— Какие люди! — сказал Пол.

— Кто этот тощий чувак? — спросил Нили.

— По-моему, Колпак.

— Разве Колпак не сидит в тюрьме?

— Сидит, но иногда выходит.

— Второй — это Эймос Келсо, — сказал Эйгер. — Он играл со мной вместе.

Эймос нес вторую коробку пива. Как только троица ступила на трибуну, Силос махнул Коротышке Орли с приятелем, предлагая выпить. Те думали недолго. Заодно Силос пригласил Тига и Коуча, подтянувшихся за ним на тридцатый ряд, где сидели Нили с Полом и Рэнди Эйгер.

После знакомства и откупорки пивных бутылок Орли обвел собравшихся взглядом:

— Что слышно про Рейка?

— Остается ждать, — ответил Пол.

— Я предполагал, что это случится сегодня, — мрачно сказал Коуч. — Вопрос времени.

Коуч выглядел чересчур важным, как и положено адвокату. Нили это сразу не понравилось. Глазной спец Тиг пространно обрисовал развитие онкологического процесса у Рейка.

Было почти темно, и любители бега уже покинули дорожки стадиона. В темноте от здания раздевалки отделилась неуклюжая фигура человека, медленно заковылявшего к металлическим опорам табло для счета.

— Это ведь не Кролик, нет? — спросил Нили.

— Разумеется, он, — ответил Пол. — Он всегда здесь.

— Какая у него теперь должность?

— Ему должность без надобности.

— Он вел у меня историю, — вспомнил Тиг.

— А у меня — математику, — сказал Коуч.

Человек по прозвищу Кролик учительствовал одиннадцать лет, прежде чем кто-то обнаружил, что он не окончил и девяти классов. Случился скандал, и его почти выгнали, но в дело вмешался Рейк, предложивший Кролику место помощника директора по физподготовке. В школе города Мессины такой титул не означал ничего, кроме исполнения любых указаний Рейка. Кролик водил автобус, приводил в порядок форму, чинил инвентарь и, что гораздо важнее, передавал Рейку все городские сплетни.

Возле поля стояло целых четыре мачты освещения, по две на каждом торце. Добравшись до рубильника, Кролик включил свет с южной стороны, где находились гостевые трибуны. Вспыхнули сразу десять рядов по десять ламп. На поле легли длинные тени.

Пол сказал:

— Кролик уже неделю оставляет свет на ночь. Его особый тип бессонницы. Когда Рейк умрет, свет погаснет.

Кролик захромал назад к зданию раздевалки, явно собираясь на ночлег.

— Так здесь и живет? — спросил Нили.

— Угу. Ставит раскладушку в мансарде над залом для работы с тяжестями. Называет себя ночным вахтером. Точно чокнутый.

— Он был чертовски нормальный учитель математики.

— Счастье, что он еще может ходить, — сказал Пол.

Все рассмеялись. Кролику переломали едва ли не все кости на игре сезона 1981-го, когда по причине, так и не раскрытой, он выбежал на поле и оказался на пути Молчии Ллойда, быстрого и жесткого на игру бегущего зашитника, впоследствии выступавшего за Обурн, а в тот вечер игравшего за «Грин-Каунти», причем блестяще. В конце третьей четверти при так и не открытом счете Ллойд успешно начал длинный прорыв, обещавший верный тачдаун. Обе команды еще не имели поражений. Матч был напряженным, и Кролик, судя по всему, не выдержал давления на психику. К ужасу и удовольствию десяти тысяч правоверных мессинцев, Кролик решительно бросил свое нескладное костлявое тело на арену и где-то около тридцатипятиярдовой линии столкнулся с Молнией. Столкновение вышло почти смертельным для Кролика — человека как минимум сорокалетнего — и вовсе не повредило Ллойду. Как будто жук попал в ветровое стекло.

На Кролике были защитного цвета штаны, мессинская зеленая футболка с длинными рукавами, зеленая шапочка, найденная потом за десять ярдов, и островносые ковбойские ботинки. Когда беднягу подбросило, левый ботинок слетел и закувыркался в воздухе. Сидевшие на трибуне на верхних рядах клялись, что слышали, как у Кролика хрустнули кости.

Если бы Молния продолжил рывок, такая «контратака» не возымела бы никакого действия. Но парнишка растерялся, и едва он бросил взгляд через плечо, чтобы выяснить, кто или что попало ему под ноги, как тут же потерял равновесие.

До полной остановки Ллойд пахал землю пятнадцать ярдов. А когда поднялся на ноги у двадцатиярдовой линии, поле было желтым от флагов.

В то время как тренеры хлопотали над Кроликом, выясняя, звать ли медиков или священника, судьи быстренько отдали тачдаун «Грин-Каунти». Рейк пытался возразить, однако через секунду уступил. Рейк переживал случившееся остро, как все, и он беспокоился за Кролика, не шевельнувшегося после удара о землю.

Минут двадцать пострадавшего осторожно собирали в кучку, потом уложили на носилки и погрузили в карету «скорой помощи». Когда машина уезжала, десять тысяч болельщиков Мессины аплодировали Кролику стоя. Приехавшие из Грин-Каунти пытались осмыслить увиденное. Не зная, аплодировать или выражать неодобрение, они сидели тихо. Хоть бедный дурачок и казался мертвым, зато они получили тачдаун.

Признанный мастер мотивации, Рейк использовал перерыв чтобы «накачать» своих бойцов.

— Кролик был тверже вас, клоуны! — рычал он защите. — Порвите им хоть что-нибудь! Сыграйте хотя бы за Кролика!

Мессина легко выиграла встречу, сделав три тачдауна в последней четверти.

Кролик тоже спасся, хотя и сломал ключицу. У него треснули три позвонка подряд, но в целом полученный удар оказался не смертельным, и те, кто знал прежнего Кролика, утверждали, что его мозг не получил новых повреждений. Нечего и говорить — Кролик сразу же превратился в героя. На очередном ежегодном футбольном банкете Рейк вручил ему кубок за лучший силовой прием года.

Кончились сумерки, и с наступлением темноты фонари стали ярче. Глаза мало-помалу свыклись с наполовину освещенным пространством «Рейкфилда». На дальнем конце трибун из темноты материализовалась другая небольшая группа старых «Спартанцев». Их голоса были едва слышны.

Открыв еще пива, Силос немедленно осушил половину бутылки.

Бланшар Тиг задал вопрос:

— Нили, когда ты в последний раз видел Рейка?

— После первой операции, через два дня, — сказал Нили.

Все промолчали. Он говорил это впервые. Его рассказа до сих пор не слышали в родном городе.

— Я лежал в больнице. Сделали операцию, предстояло еще три.

— Непреднамеренная грубость, — пробормотал Коуч, как будто Нили нуждался в оправданиях.

— Да уж, — кивнул Эймос Келсо.

Нили вполне представлял, как, собираясь в кофейнях на Мейн-стрит, они с унылым видом вновь и вновь смотрели повтор заведомо позднего и грубого сноса, уничтожившего карьеру их всеамериканского героя. Медсестра сообщила, что еще не видела столь проникновенного сочувствия: цветы, визитки, шоколад, воздушные шары и поделки от целых школьных классов. Все — из маленького городка Мессина, находившегося в трех часах езды от больницы. Впрочем, за исключением родителей и тренеров из «Тека» Нили отказывал посетителям. В больнице он страдал восемь нескончаемых дней, поглощая столько болеутоляющего, сколько позволяли врачи.

Рейк проскользнул к нему как-то вечером, когда давно прошли часы, отведенные для визитов.

Потягивая пиво, Нили сказал:

— Рейк хотел поднять мне настроение. Ободрял и говорил, что колено починят. Хотел бы я верить.

— Он вспоминал финал 87-го? — спросил Силос.

— Мы и об этом тоже говорили.

Все примолкли, вспомнив ту игру и многочисленные загадки, с ней связанные. Тогда Мессина завоевала последний из титулов, и одно это давало богатую пищу многолетнему анализу. Проиграв со счетом 31:0 первую половину встречи, в которой их зажала и придавила силовой опекой команда Ист-Пайка, значительно превосходившая классом, «Спартанцы» вышли на вторую половину без Рейка. При этом они играли на поле «Эйэнд-Эм», где на трибунах сидело тридцать пять тысяч фанатов, ждавших развязки. Рейка не было. Тренер появился не раньше конца последней четверти.

Правда о том, что тогда произошло, оставалась похороненной все пятнадцать лет, и, по-видимому, ни

Крэншоу, ни Силос, ни Пол, ни Колпак Тейлор не собирались говорить на эту тему.

Нили не сказал, что в больнице Рейк принес ему извинения.

Попрощавшись, Тиг и Коуч небыстро затрусили в темноту.

— Ты ни разу сюда не приезжал? — спросил Эйгер

— Нет, после травмы нет.

— Почему?

— Не хотел.

Колпак по-тихому уговаривал пинту чего-то гораздо более крепкого, чем пиво. Он сначала отмалчивался, а когда заговорил, язык почти его не слушался:

— Поговаривают, вы сильно ненавидели Рейка.

— Это неправда.

— А он ненавидел вас.

— Рейк никогда не умел общаться со звездами, — сказал Пол. — Мы все об этом знали. Если ты собирал слишком много призов или много рекордов, Рейк начинал ревновать. Ясное дело. Поэтому он гонял нас как собак. Хотел, чтобы каждый стал великим игроком. Но если парням вроде Нили доставалось много внимания, Рейк завидовал.

— Трудно поверить, — хмыкнул Коротышка Орли.

— Так оно и было. И потом, он считал нужным делать подарки лучшим колледжам. К примеру, Рейк хотел отдать Нили в «Стейт».

— А меня в армию, — сказал Силос.

— Счастье, что ты не сел в тюрьму, — заметил Пол.

Силос фыркнул:

— Дело пока не закрыли.

К воротам подъехала еще одна машина. Остановившись, водитель погасил фары, но из машины никто не вышел.

— Тюрьма — это не круто, — сказал Колпак, и все дружно засмеялись.

Нили заметил:

— У Рейка были любимчики. Но я к ним не относился.

— Тогда почему ты здесь? — спросил Коротышка Орли.

— Сам не знаю. Думаю, по той же причине, что и вы.

В первый год учебы в «Теке» Нили съездил в Мессину на домашний матч «Спартанцев». На церемонии, устроенной в перерыве матча, проводили в почетную отставку его 19-й номер. Овация не кончалась и не кончалась, зрители аплодировали стоя. В итоге первый удар задержался на несколько секунд, что обошлось «Спартанцам» в пять ярдов и побудило тренера Рейка, выигрывавшего 28:0, разразиться дежурным рыком.

Игра оказалась единственной виденной Нили после отъезда из города. Через год он попал в больницу.

— Когда успели сделать бронзовый памятник Рейку? — спросил Нили.

— Спустя пару лет после того, как его уволили, — ответил Эйгер. — Деньги собрали болельщики. Они нашли десять тысяч долларов и оплатили бронзу. Хотели подарить Рейку перед началом игры. Рейк отказался.

— Значит, он больше не ходил на стадион?

Эйгер махнул рукой в сторону холма, лежавшего за зданием раздевалки на некотором удалении:

— Вроде. Перед каждой игрой он выезжал на Каррз-Хилл и останавливался на одной из тех гравийных дорог. Они с мисс Лайлой сидели там, слушали радиорепортаж Бака Кофи и смотрели игру. Далековато, чтобы видеть подробности. Но так Рейк давал городу понять, что следит за событиями. Отыграв половину встречи, команда поворачивалась к холму, пела боевой гимн, и Рейку махали руками все сидевшие на трибунах десять тысяч.

— Это было круто, — кивнул Эймос Келсо.

Пол сказал:

— Рейк знал, где и что делалось. Два раза в день ему звонил Кролик и докладывал слухи.

— Он жил затворником?

— Не общался ни с кем, — ответил Эймос. — По крайней мере первые три-четыре года. Пошли слухи, что он собирается уехать, но слухи мало что значили. Да, каждое утро Рейк ходил на мессу, но здесь, в Мессине, ему было попросту скучновато.

— В последние годы он выезжал немного чаще, — сказал Пол. — И начал играть в гольф.

— Затаил обиду?

Все на минуту задумались.

— Да, он был обижен, — ответил Эйгер.

У Пола имелось другое мнение:

— Не думаю. Он считал себя виноватым.

— Болтали, что его похоронят рядом со Скотти, — сказал Эймос.

— Я тоже слышал, — задумчиво произнес Силос.

Хлопнула дверца машины, и на дорожке появилась новая фигура. Огибая поле, к трибунам шел коренастый человек в форме.

— К нам идет проблема, — пробормотал Эймос.

— Это Мэл Браун, — со вздохом сказал Силос.

— Наш знаменитый Шериф, — повернувшись к Нили, объяснил Пол.

— Неужели 31-й?

— Он самый.

19-й номер Нили отправили в отставку последним, а первым со спортивной формы убрали номер 31-й. Мэл Браун играл в середине шестидесятых, во времена «Полосы». Тридцать пять лет назад Мэл Браун, весивший на восемнадцать фунтов меньше, играл роль неудержимого тэйлбека-бегущего. Как-то он владел мячом сорок пять раз за одну игру, и этот мессинский рекорд держится до сих пор. Ранняя женитьба пресекла карьеру в колледже до ее начала, и после скорого развода Браун отправился во Вьетнам — как раз во время наступления северовьетнамской армии, предпринятого в 68-м году. Нили с детства слышал рассказы о великом Мэле Брауне. Когда Нили в первый раз играл в футбол, перед матчем тренер Рейк решил подбодрить новичка. В красочных деталях он описал, как однажды во второй половине финальной встречи чемпионата конференции Мэл Браун сделал рывок и пробежал двести ярдов со сломанным коленом.

Рейк обожал истории про игроков, отказавшихся покинуть поле с переломом, кровавой раной или из-за прочих ужасов.

Годы спустя Нили поймет, что сломанное колено скорее всего было растяжением, но с годами рассказ сильно оброс деталями, хотя бы и в памяти Рейка.

Перед трибунами шериф на несколько минут задержался, чтобы поговорить с другой группой бывших «Спартанцев», затем начал подниматься к тридцатому ряду. Отдуваясь, он наконец подошел к группе, в которой сидел Нили, и сначала поздоровался с Полом, Эймосом, Силосом, Орли, Колпаком и Рэнди, имена и клички которых хорошо знал. Руку Нили он пожал последней.

— Мне доложили, что ты в городе. Давненько не показывался...

— Да, наверное.

Нили сразу не нашелся что сказать. По его воспоминаниям, они прежде не встречались. Когда Нили жил в Мессине, Мэл еще не был шерифом. Хотя Нили помнил только легенду, а не человека, это не имело значения. Они все составляли одно братство.

Мэл задал вопрос:

— Силос, уже стемнело. Почему ты не воруешь машины?

— Вся ночь впереди.

— Думаю, не взять ли тебя за задницу? Имей это в виду.

— У меня есть адвокаты.

— Ага... Дай-ка пивка. Сейчас я не на службе.

Силос передал пиво. Мэл жадно глотнул и облизал мокрые губы. Он действительно хотел пить.

— Я только что от Рейка. Без изменений. Ждут. Информацию приняли без комментариев.

— Нили, где ты прятался? — спросил Мэл.

— Нигде.

— Не ври. Тебя десять лет никто не видел, а может, и больше.

— Родители осели во Флориде, они на пенсии. Зачем сюда приезжать?

— Ты здесь вырос. Тут твоя родина. Разве это не причина?

— Это тебе кажется.

— Хрена с два кажется. У тебя здесь много друзей, как ни у кого... Нехорошо так уезжать.

— Мэл, выпей-ка еще пива, — посоветовал Пол.

Силос немедленно передал пиво. Мэл не отказался. Через минуту он спросил:

— У тебя дети есть?

— Нет.

— А что твое колено?

— Разбито.

— Сочувствую.

Последовал долгий глоток.

— Непреднамеренная грубость... Ты же четко был вне зоны.

— Нужно было остаться в «кармане».

Нили поерзал в кресле, от души желая сменить тему. Сколько Мессине обсуждать «непреднамеренную грубость», разбившую его спортивную карьеру?

Последовал еще один долгий глоток, и Мэл тихо произнес:

— Старик, ведь ты был лучшим.

— Поговорим еще о чем-нибудь.

Нили уже просидел на стадионе почти три часа, как вдруг ему захотелось встать и уйти, пусть и неизвестно куда. Пару часов назад был разговор насчет того, как готовит Мона Карри. Впрочем, пока это не имело продолжения.

— Ладно, о чем?

— Поговорим о... Рейке, — предложил Нили. — Какая команда была худшей?

Осмыслив вопрос, собрание дружно подняло бутылки.

Мэл заговорил первым:

— В семьдесят шестом он проиграл четыре матча. Мисс Лайла уверяла, что целую зиму Рейк провел в одиночном заключении, даже перестал посещать церковь. Отказывался выходить на публику. Потом он задал команде курс усиленной подготовки, все лето гонял их просто как собак, а в августе заставил тренироваться по три раза в день. Когда вбросили мяч сезона 77-го, это была другая команда. Они чуть не взяли кубок штата.

— Неужели Рейк отдал четыре игры за сезон? — недоверчиво спросил Нили.

Мэл откинулся назад, опершись на сиденье, расположенное позади него, и сделал глоток пива. Он был едва ли не самым старым из присутствовавших «Спартанцев» и за последние тридцать лет не пропустил ни одной игры.

— Та команда доказала свою абсолютную бездарность. Потом, летом семьдесят шестого, резко поднялась цена на лес, и все лесорубы разъехались по домам. Ты знаешь, что такое лесорубы. Потом сломал руку квотербек, которому не нашлось замены. В тот год мы играли в Харрисбурге и не сделали ни одной передачи. А если на каждый розыгрыш в нападение ставят по одиннадцать игроков, бывает туго. Произошла настоящая катастрофа.

— Нас побил Харрисбург? — недоверчиво переспросил Нили.

— Ага. Всего однажды за сорок один год. Если желаешь, расскажу, как тупоголовые сукины дети это сделали. Слушай. Они ведут всю игру, в конце — с разгромным счетом, что-то около тридцать шесть — ноль.

Худший вечер в истории футбола Мессины. Они понимают, что зажали нас окончательно, и решают увеличить счет. На что уходит несколько минут в третьей четверти: пас назад и короткий проход. Еще тачдаун. Они в экстазе. Понимаешь, ведь они сделали это с мессинскими «Спартанцами». Рейк сделал вид, что спокоен. Видно, он написал клятву кровью и отправился искать лесорубов. На следующий год мы играли с Харрисбургом на своем поле, перед огромной злой толпой — и в первой половине взяли семь тачдаунов.

— Помню, — сказал Пол. — Тогда я учился в первом классе. Сорок восемь — ноль.

— Сорок семь, — честно признал Мэл. — К третьей четверти мы в четыре раза увеличили счет, но Рейк продолжал гнать вперед. Он ни разу не присел на скамью, а мяч все время был в воздухе.

— Что в результате? — спросил Нили.

— Девяносто четыре — ноль. Рекорд все еще за Мессиной. Единственный случай на моей памяти, когда Эдди Рейк требовал нагонять счет.

Группа собравшихся на северной стороне разразилась хохотом: кто-то закончил рассказ, несомненно, про Рейка или про какую-нибудь давнишнюю игру. Выбрав подходящий момент, Силос, который в присутствии представителя закона был тише воды ниже травы, сказал:

— Ну, мне пора идти. Карри, позвонишь, если сообщат про Рейка?

— Позвоню.

— Всем до завтра.

Встав, Силос размял мышцы и потянулся к последней бутылке пива.

— Мне нужно пробежаться, — сказал Колпак.

Мэл ехидно заметил:

— Ха, Силос, ночь наступила? Братва выползает на дело из сточной канавы?

— В честь тренера Рейка у меня выходной.

— Трогательно. Раз ты закрываешь лавочку, мне остается снять с дежурства ночную смену.

— Так и сделай, Мэл.

Спотыкаясь на металлических ступенях, Силос, Колпак и Эймос Келсо заковыляли вниз.

— Сядет через двенадцать месяцев максимум, — сказал Мэл, когда они ступили на беговую дорожку. — Карри, мой тебе совет — убедись, что в банке чисто.

— Не бойся.

Для одного дня Нили слышал достаточно. Встав, он сказал:

— Я тоже побегаю в одиночестве.

— Ты же собирался к нам, — обиделся Пол.

— Ужинать нет аппетита. Может, завтра вечером?

— Мона расстроится.

— Передай, пусть оставит кусочек. Мэл, Рэнди... Спокойной ночи. Еще увидимся.

Колено закостенело. Спускаясь по ступеням, он изо всех сил старался не ковылять, делая вид, что остался тем Нили Крэншоу, какого они помнили. Оказавшись внизу на беговой дорожке, Нили резковато повернул, и колено едва не подломилось. Сразу в десяти местах ударила острая точечная боль, но это случалось достаточно часто, и Нили знал, как незаметно перенести вес на правую ногу, чтобы пойти вразвалочку как ни в чем не бывало.

СРЕДА

Обычно в окне каждого магазина и всех лавочек, расположенных вокруг главной площади Мессины, выставлялись большие зеленые плакаты с расписанием футбольных матчей. Так, будто покупатели и городская публика нуждались в напоминании, что «Спартанцы» играют по пятницам. В конце августа на фонаре перед каждой лавкой и каждым магазином вешали зелено-белый флаг, снимать который полагалось лишь с окончанием сезона. Нили помнил флаги с детства, с тех пор, когда он катался по тротуарам на велосипеде. Ничто не изменилось. Прежними остались большие зеленые плакаты с отпечатанными жирным шрифтом названиями игр, с фотографиями улыбающихся игроков и мелко набранной в самом низу рекламой местных спонсоров, в число которых в Мессине попадал весь без исключения малый бизнес. Никто из предпринимателей не хотел быть пропущенным.

Войдя вслед за Полом в кафе «Ренфроуз», Нили сделал глубокий вдох, приказав себе улыбаться и быть вежливым. В конце концов раньше местная публика его обожала. У дверей в нос ударило густым запахом жареного. Затем Нили услышал приглушенный стук посуды. Запахи и звуки совсем не изменились с тех лет, когда воскресным утром отец приводил его на горячий шоколад в «Ренфроуз», завсегдатаи которого снова и снова переживали и пережевывали очередную победу «Спартанцев».

В течение сезона каждый игрок мог один раз в неделю бесплатно обедать в «Ренфроуз». Простой и щедрый жест, но вскоре после объединения школы им пришлось держать испытание на прочность. Дать ли черным игрокам те же привилегии? Решительное «да» сказал Эдди Рейк — и кафе «Ренфроуз» объединило посетителей одним из первых в штате, причем по доброй воле.

Двигаясь к столику у окна, Пол мимоходом пообщался почти со всеми уткнувшимися в кофе посетителями. Нили кивал, стараясь не смотреть никому в глаза. Как только они заняли места за столиком, секрет перестал быть секретом. В город действительно вернулся Нили Крэншоу.

Стены оказались завешаны старыми футбольными плакатами с расписаниями игр, оформленными в рамочки газетными вырезками, вымпелами, футболками с автографами и фотографиями — сотнями командных снимков, вывешенных над прилавком в хронологическом порядке, снимками игровых моментов, вырезанных из местной газеты, и большими черно-белыми портретами лучших спартанцев. Фотография Нили висела над кассой. Его сняли перед выпуском с футбольным мячом в руках, без шлема и без тени улыбки, готового устремиться вперед. Он казался сосредоточенным на своем деле — решительный и гордый с длинными спутанными волосами, трехдневной щетиной и пушком на щеках, с глазами, устремленными куда-то вдаль. Без сомнения, он думал о будущей славе.

— Когда-то ты был очень хорош, — сказал Пол.

— Как будто вчера. Наверное, это был сон.

По центру длинной стены находилось место для поклонения Эдди Рейку — его большая цветная фотография на фоне ворот со списком рекордов внизу: 418 выигранных игр, 62 поражения и 13 призов в чемпионате штата.

Судя по информации, поступившей перед рассветом, Рейк еще продолжал цепляться за жизнь. А город продолжал цепляться за него. Разговоры велись вполголоса — ни смеха, ни анекдотов, ни соленых рассказов об успешной рыбалке, ни обычного трепа о политике.

Хрупкая официантка в зелено-белой форме принесла кофе и приняла заказ. Она была знакома с Полом, но не узнала его спутника.

— Мэгги еще работает? — спросил Нили.

— Сидит дома, нянчится.

Мэгги Ренфроу много лет варила кофе и жарила яичницу. Помимо этого, она неустанно интересовалась слухами и ходившими вокруг команды «Спартанцев» историями разного рода. Занимаясь приготовлением бесплатных обедов для игроков, она получала то к чему в Мессине стремился каждый, — возможность находиться ближе к мальчикам и их тренеру.

Подошедший джентльмен неловко кивнул Нили

— Просто захотел поздороваться, — протягивая руку, сказал он. — Приятно увидеть вас здесь после стольких лет... Знаете, вы были явлением.

Нили пожал ему руку.

— Спасибо.

Пожатие было коротким. Нили отвел взгляд Джентльмен ретировался, почувствовав настроение кумира. Его примеру никто не следовал.

Нили заметил несколько косых и укоризненных взглядов в свою сторону, и прочие завсегдатаи сосредоточились на кофе, больше не обращая на него внимания. В конце концов, он сам игнорировал их целых пятнадцать лет. Мессина трудно отпускала героев, и обычно предполагалось, что они испытывают удовольствие от ностальгии.

— Давно ты видел Скример? — спросил Пол Хмыкнув, Нили посмотрел в окно.

— Не видел ее после колледжа.

— Никаких контактов?

— Одно письмо, много лет назад, откуда-то из Голливуда. Сообщила, что взяла город штурмом. Сказала, что станет невообразимо знаменитой в отличие от меня. Довольно неприятное письмо. Я не ответил.

Пол сказал:

— Она заявилась на десятилетие нашего выпуска. Актриска, блондинка. Ноги — и больше ничего. Но хорошо упакована, здесь такого не видели. Видна подготовочка. Сыпала фамилиями налево-направо: тот продюсер, этот режиссер и актеры, актеры... Никогда не слышал таких имен. Вообще осталось впечатление, что она проводила больше времени в постели, чем перед камерой.

— Такова ее натура

— Тебе лучше знать.

— Как она выглядела?

— Усталой.

— Где снималась?

— Называла кое-что, каждый час — новое. Потом мы сравнили записи... Короче, никто не видел ни одной ее картины. Показуха. Поведение, вполне типичное для Скример. Только она сейчас Теса. Теса Каньон.

— Теса Каньон?

— Угу.

— Напоминает порнозвезду.

— Похоже, туда и метит.

— Бедная девочка.

— Бедная девочка? Дура бестолковая. Занята собой. Прославилась тем, что была подружкой Нили Крэншоу.

— Да, но те ноги...

Оба заулыбались. Официантка принесла оладьи с сосисками и долила в чашки кофе. Обильно полив оладьи кленовым сиропом, Пол вернулся к беседе:

— Два года назад в Лас-Вегасе проходил большой съезд банкиров, и Мона поехала со мной. Ей быстро наскучило, она ушла в номер. Мне тоже все надоело Поздно вечером я пошел гулять по Стрип, зашел в одно из тех старых казино, и знаешь, кого я встретил?

— Тессу Каньон?

— Она разносила спиртное. Подавала коктейли в таком специальном костюмчике — высоком на спине, зато очень низком спереди. Обесцвеченные волосы, толстый слой штукатурки на лице и фунтов двенадцать жира, если не больше. Я рассматривал ее несколько минут. Меня она не заметила. Она изрядно сдала, меня удивило другое: ее поведение. Улыбки возле столов с игроками. Негромко брошенное: «Поднимемся в твой номер». Остроты и шлепки. Бесстыдный флирт с кучкой пьянчуг. Когда-то эта женщина хотела, чтобы ее любили.

— И я старался, как мог.

— Да, Скример — тот еще случай.

— Поэтому я бросил ее. Как думаешь, она приедет на похороны?

— Может быть. Если есть шанс на нее нарваться — так и случится. Хотя она уже не та куколка, а для Скример внешность — главное.

— Родители у нее живы?

— Да.

К столику неловко приблизился круглолицый человек в шапке а-ля Джон Дир.

— Нили, я только поздороваться, — чуть не кланяясь, сказал он. — Тим Нанли, я из «Форда».

Тим протянул руку, не особенно надеясь, что ее пожмут. Улыбнувшись, Нили подал руку.

— Я работал на машинах твоего отца, — сказал Тим.

— Помню, — соврал Нили, тем не менее ложь возымела действие. Улыбка мистера Нанли стала в два раза шире, он еще крепче пожал Нили руку и покосился на их столик, словно искал подтверждения.

— Я знал, знал. Хорошо, что ты вернулся. Ты был лучшим из лучших.

— Спасибо.

Высвободив руку, Нили взялся за вилку. Мистер Нанли попятился от стола, потом надел пальто и вышел из ресторана.

За столиками по-прежнему шел негромкий разговор, и казалось, что все мало-помалу просыпаются Прожевав, Пол наклонился над столом и вполголоса сказал:

— Четыре года назад у нас была хорошая команда Они выиграли девять игр с начала сезона и не проиграли ни одной. В день очередной игры, в пятницу, я сидел на этом же месте, ел то же, что сейчас, и — клянусь тебе — темой всех разговоров была «Полоса удачи». Только не старая, а новая. Люди ждали новой удачной полосы. Речь шла не о сезоне побед, не о кубке конференции или даже победе в чемпионате штата Все это так, семечки. Город хотел восемьдесят, девяносто, а может, все сто побед кряду!

Посмотрев вокруг, Нили вернулся к тарелке.

— Никогда этого не понимал, — пробормотал он. — Приятные с виду люди — механики, водители грузовиков, страховые агенты, строители. Наверное, есть и юристы, и банкиры. Солидные граждане маленького города, но не какие-нибудь воротилы. То есть никто из них не делает в год по миллиону баксов. Но каждый год они говорят о чемпионском титуле.

— Именно так.

— Я этого не понимаю.

— Чистейший треп. О чем здесь еще говорить?

— Ничего странного, что они и Рейка подняли на щит. Рейк нанес их город на карту.

— Ешь давай, — сказал Пол.

К столику приблизилась фигура в замызганном переднике. Подошедший держал в руках большой конверт из плотной бумаги. Представившись братом Мэгги Ренфроу, нынешний шеф-повар вынул из конверта рамочку с цветной фотографией 8х10 дюймов. Качественное изображение играющего за «Тек» квотербека Нили.

Шеф сказал:

— Мэгги всегда хотела заполучить твой автограф.

Снимок был роскошный и динамичный, запечатлевший момент игры: пригнувшийся Нили возглавляет игру в самом центре поля, готовясь подхватить мяч и оценивая возможности защиты. Заметив красный шлем в правом нижнем углу снимка, Нили понял, что противником была команда «Эй-энд-Эм». Эту фотографию, которую Нили прежде не видел, сделали всего за несколько минут до того, как он травмировал ногу.

— Конечно, — сказал Нили и взял у шефа черный маркер.

Написав вверху снимка свое имя, он несколько долгих мгновений смотрел в глаза молодой звезды — бесстрашного квотербека, учившегося в колледже, пока его ждала Национальная футбольная лига. Он слышал шум тековского стадиона в тот день — голос огромной толпы в семьдесят пять тысяч сильных людей, настроенных на победу, гордившихся своей непобедимой командой и по-настоящему вдохновленных тем, что впервые за много лет они получили квотербека воистину всеамериканского уровня.

Нежданно-негаданно Нили ощутил жгучую тоску по тем временам.

— Красивая фотография, — едва смог сказать он возвращая снимок шефу, тут же пристроившему рамку на гвоздь под большим портретом Нили Крэншоу

— Не пора ли нам на фиг убраться отсюда? — предложил Нили, вытирая рот.

Он положил на стол деньги, и оба приятеля быстро пошли к выходу. С улыбкой покивав завсегдатаям Нили исхитрился дойти до дверей без единой остановки. Когда вышли на улицу, Пол недоуменно спросил

— Чего ты вскинулся?

— Хватит говорить о футболе, понял? Достали. Сил моих нет слушать о прошлом.

Выбирая спокойные улицы, они миновали площадь. затем проехали рядом с церковью, в которой был крещен Нили, и мимо церкви, где женился Пол, миновали симпатичный выстроенный в разных уровнях домик на Десятой улице, в котором Нили жил с восьмилетнего возраста до самого отъезда в «Тек». Потом родители продали дом записному янки, вознамерившемуся строить бумажную фабрику в западной части города. Мимо жилища Рейка они ехали медленно — как будто, двигаясь по улице, хотели узнать последние новости. Подъезд к дому оказался заставлен машинами, в основном с номерами из других штатов — как оба решили, принадлежавшими родственникам и ближайшим друзьям. Они проехали парк, где когда-то занимались бейсболом в «Литл-лиг» и футболом у Попа Уорнера.

Им вспомнились кое-какие истории, одна из которых, ставшая, разумеется, легендой, — о Рейке. Нили, Пол и группа их приятелей буйно гоняли мяч по песчаной площадке, когда заметили человека, стоявшего на некотором расстоянии от края футбольного поля и пристально наблюдавшего за игрой. Ребята закончили, и человек зачем-то решил подойти к ним и представился, сказав, что он — тренер Эдди Рейк. Мальчики едва не потеряли дар речи.

— У тебя отличная рука, сынок, — сказал Рейк, обращаясь к Нили, не знавшему, что и ответить. — И ноги тоже мне нравятся.

Ребята посмотрели на ноги Нили.

— Твоя мать такого же роста, как отец? — поинтересовался Рейк.

— Почти, — с трудом выдавил Нили.

— Хорошо. Вырастешь в отличного спартанца-квотербека.

Улыбнувшись мальчишкам, Рейк отправился восвояси. Тогда Нили было всего одиннадцать лет.

Машина остановилась возле кладбища.

* * *

С приближением сезона 1992 года Мессину охватило всеобщее и сильное беспокойство. Годом раньше их команда продула три игры, что граничило с катастрофой, вынуждая горожан отказываться от пирожных в «Ренфроуз», от резиновых куриц за обедом в «Ротари-клубе» и от недорогого пива в забегаловках на окраине.

Наконец, в команде играло совсем мало выпускников, что не сулило ничего хорошего. Облегчить положение мог уход заведомо слабых игроков.

Рейк, если даже и чувствовал давление, не показывал этого никаким образом. К тому же он тренировал «Спартанцев» больше трех десятков лет и повидал всякое. Последний выигранный Рейком кубок штата, тринадцатый по счету, остался в 1987 году, и местные жители скрепя сердце терпели целых три года. Тем не менее болельщики вели себя хуже и хуже. Накручивая друг друга, они требовали сто побед подряд, но после тридцати четырех лет работы Рейк откровенно плевал на их мнение.

Команде 92-го не хватало талантов, и все это знали. Единственной звездой был тогда Рэнди Эйгер, хорошо игравший угол или по краю на проход и умевший надежно подобрать мяч, брошенный квотербеком в его сторону, что, впрочем, случалось нечасто.

В небольшом городке вроде Мессины таланты вырастают со строгой цикличностью. Бывают периоды. когда игра идет на одну «калитку» — если команда на подъеме, как в 1987-м с Нили, Силосом, Полом, Алонсо Тейлором и четырьмя злыми лесорубами-лайнбэкерами. Но, по Рейку, истинное величие состояло в том, чтобы побеждать с невысокими и медленно бегающими игроками. То есть, когда Рейк брал не самых талантливых, команда должна была выигрывать с таким же разгромным счетом. Напряженнее всего он работал над составами, не обещавшими ничего хорошего, а в августе 1992 года не одной его команде досталось оценить настроение, с каким Рейк выходил на поле.

После неудачной субботней драчки Рейк старался погонять игроков как следует. Он назначал тренировку и на воскресное утро — чего почти не бывало раньше, потому что это не нравилось тем, кто ходил в церковь. Тренировку начинали с восьми утра в воскресенье, чтобы у ребят хватило времени на выяснение отношений, — конечно, если будут силы. Рейка особенно удручала «детренированность» — что казалось шуткой знающим людям, поскольку любая команда Мессины согни раз отрабатывала спринг.

Спортивные трусы, наплечная защита, спортивная обувь и шлемы. Никакого силового контакта, только тренировка. В восемь утра температура воздуха была

86 градусов по Фаренгейту — и это при высокой влажности и безоблачном небе. Сделав растяжку, они для начала бежали милю вокруг стадиона, чтобы разогреться. К тому времени когда Рейк объявлял вторую милю, игроки давно обливались потом.

В списке суровых испытаний Рейка штурм трибун значился под вторым номером, сразу после «Спартанского марафона». Каждый хорошо представлял, что это такое, и когда Рейк орал: «Трибуны!» — половине команды хотелось бросить спорт прямо сейчас.

Вслед за капитаном Рэнди Эйгером игроки выстраивались в длинную ленивую цепочку и медленной трусцой начинали движение по беговой дорожке. Когда колонна оказывалась у гостевой трибуны, Эйгер сворачивал к ближайшим воротцам, поднимался на двадцать рядов, бежал поверху и опять спускался, чтобы двадцатью рядами ниже оказаться у следующего сектора. Восемь секторов до конца гостевой трибуны, потом назад на беговую дорожку — и бегом по кругу мимо конечной зоны к стоящей у другой стороны поля домашней трибуне. Снова вверх, уже на пятьдесят рядов, пробежка вдоль ограждения и спуск на пятьдесят рядов вниз. Вверх и вниз, вверх и вниз, вверх и вниз — пока не одолеешь новые восемь секторов и не вернешься обратно на беговую дорожку для очередного убийственного круга.

После первого круга начинали отставать лайнмены, а Эйгер, легкий на ногу и способный бегать до бесконечности, обычно уходил далеко вперед. Зло ворча, Рейк с висящим на шее свистком разгуливал по беговой дорожке, время от времени крича на подопечных, на последнем издыхании сражавшихся с дистанцией. Он очень любил звук, с которым пятьдесят игроков носятся по трибунам вверх и вниз.

— Парни, вы не в форме, — заявлял Рейк достаточно громко, чтобы его слышали. — Дальше он бубнил вроде бы себе под нос: — Самый медленный сброд, какой я видел.

Рейк славился умением бубнить под нос так, что его слышали везде, где нужно. После второго круга падал и начинал блевать кто-нибудь из блокирующих. К этому времени даже самые выносливые двигались все медленнее и медленнее.

В том августе игравший в команде выпускник Скотти Риордан весил 141 фунт, а к моменту вскрытия вес его тела составлял всего 129 фунтов. На третьем круге паренек упал между третьим и четвертым рядами домашней трибуны и больше не пришел в сознание.

Было воскресное утро. Из-за того, что занятия проводились без силового контакта, Рейк отпустил двух других тренеров. Нигде поблизости не нашлось машины корой помощи». Позже ребята расскажут, что в ожидании сирен, в эти бесконечные минуты Рейк держал голову Скотти у себя на коленях. Но мальчишка погиб еще на трибуне. Когда Скотти привезли в больницу, он точно был мертв. Тепловой удар.

Пол описал этот случай, пока они медленно шли продуваемыми ветром тенистыми аллеями мессинского кладбища. В новой части кладбища, примостившейся на пологом склоне горы, надгробные камни были мельче, а могилы располагались чаще. Пол кивнул на одно из надгробий, и Нили присел, чтобы разглядеть надпись. Рэндал Скотт Риордан. Родился 20 июня 1977-го. Умер 21 августа 1992-го.

— И они надеются похоронить его тут? — спросил Нили, показав на пустое место рядом с могилой Скотти.

— Это слухи, — ответил Пол.

— Обычно здесь верят слухам.

Пол и Нили сделали еще несколько шагов в направлении маленького вязового деревца. Присев на скамью из витиевато откованного железа, они принялись рассматривать надгробие на могиле Скотти.

— У кого хватило пороху его выгнать? — спросил Нили.

— Умер не совсем обычный мальчик. Риорданы торговали лесом, так что у родителей Скотти имелись средства. Его дядю, Джона Риордана, в восемьдесят девятом году выбрали суперинтендантом школьного образования. У него хорошая репутация. Ум, тонкое политическое чутье. И только у него одного хватало прав уволить Рейка. Что он и сделал. Сам понимаешь, как потрясло город известие о смерти мальчика. Наружу вышли подробности. Насчет Рейка и его методов заговорили открыто.

— Хорошо, что он всех нас не замучил до смерти.

— Вскрытие делали в понедельник. Очевидный случай теплового удара. Никакой предрасположенности. Никаких врожденных пороков. В семь тридцать утра воскресенья совершенно здоровый пятнадцатилетний парень ушел на двухчасовую тренировку и больше не вернулся домой. В первый раз за всю историю города у его жителей возник вопрос: стоило ли в этой парилке гонять мальчишек бегом?

— Что им ответили?

— Рейк не дал ответа. Он вообще ничего не сказал. видно, хотел пересидеть бурю дома. Многие, в том числе его бывшие игроки, говорили: это Рейк убил мальчишку. Но были и другие, этакие «крепкие орешки», которые думали: «Черт, парню не хватало спартанской стойкости». Город разделился. Выглядело все это мерзко.

— Мне симпатичен этот Джон Риордан, — сказал Нили.

— У него есть характер. В понедельник поздно вечером Риордан позвонил Рейку и сказал, что тот уволен. Во вторник новость взорвалась как бомба. Рейк, обычно не выносивший и мысли о каком-то проигрыше, засел за телефон, поднимая на ноги сторонников.

— И никакого раскаяния?

— Кто знает, что творилось у него в душе? Нетрудно представить, что похороны обернулись кошмаром. Играла скорбная музыка. Ребята что-то кричали, некоторые падали без чувств. Футболисты пришли в зеленой форме. И все смотрели на Рейка. Но у него был вполне скорбящий вид.

— Рейк — хороший актер.

— А это все знали. С момента увольнения прошло меньше суток — и вместе с похоронами разыграли драму его ухода. Получилось достойное шоу, не оставшееся без внимания.

— Я хотел бы оказаться здесь.

— А где ты был?

— Летом девяносто второго? Скорее всего в Ванкувере.

— В среду вечером заступники Рейка решили устроить митинг в школьном спортзале. Риордан запретил: «Только не в этой школе». Добиваясь восстановления Рейка, они пошли в организацию ветеранов иностранных войн. Нашлись даже горячие головы, попытавшиеся лишить школу финансирования. Они бойкотировали игры, ходили с плакатами возле офиса Риордана и хотели основать новую школу. Туда, как можно догадаться, выбрали бы Рейка.

— Рейк был с ними?

— О нет. Он подсылал Кролика, а сам сидел дома на телефоне. Похоже, Рейк считал, что можно вернуть эту работу, если надавить достаточно сильно. Но Риордан не отступал. Он встретился с помощниками Рейка и объявил Снейка Томаса новым главным тренером. Снейк отказался, и Риордан его уволил. Донни Малоун тоже сказал «нет» — и Риордан его уволил. Куик Апчерч сказал «нет». Риордан уволил и его.

— Этот парень мне все больше и больше нравится.

— В конце концов братья Гриффины согласились занять место Рейка, пока не найдется кто-нибудь еще. В семидесятых они играли у Рейка и...

— Я их помню. У них был ореховый сад.

— Точно. Великолепные игроки, отличные ребята. Поскольку Рейк никогда ничего не менял, они знали его систему игры и всю команду. Неумолимо надвигалась пятница — и первая игра в новом сезоне. Мы играли с Портервиллем. Вступил в силу бойкот, но проблема была в том, что никто не хотел пропустить этот матч. Сторонники Рейка, оказавшиеся в большинстве, не могли остаться в сторонке, потому что желали команде сокрушительного поражения. Истинные болельщики явились на игру по другим, правильным соображениям. Как и всегда, стадион был переполнен, и во все стороны выкрикивались самые противоречивые заявления о преданности. Игроки чувствовали всеобщий подъем. Они посвятили матч Скотти и выиграли, сделав четыре тачдауна. Прекрасный вечер. Хотя грустный — из-за Скотти и потому, что эпоха Рейка очевидно закончилась. Но победа — всегда победа.

— Скамья очень жесткая, — сказал Нили. — Давай-ка пройдемся.

— Тем временем Рейк нанял адвоката. Он подал иск, дело не выгорело, Риордан отстоял позиции, и расколотый по принципиальным соображениям город нашел силы, чтобы собираться вместе каждую пятницу. Команда играла как никогда мужественно. Несколько лет спустя знакомый игрок рассказал, каким сильным было это ощущение — играть в футбол ради удовольствия, а вовсе не из страха.

— И насколько это прекрасно?

— Нам этого не узнать.

— Никогда.

— Они выиграли первые восемь встреч. Ни одного поражения. И ничего, кроме гордости и мужества. Уже говорили о кубке штата. Поговаривали о новой удачной полосе. Говорили, что можно хорошо заплатить Гриффинам и основать новую династию. Несли всякую чушь.

— Потом они продули?

— Естественно, это же футбол. Группа подростков решает, что чего-то стоит, — и им надирают задницу.

— Кто это сделал?

— «Германтаун».

— Нет, только не «Германтаун»! В той школе играют в баскетбол!

— Они разделали их прямо здесь, перед десятитысячными трибунами. Худшая игра из всех, что я видел. И ни гордости, ни мужества. Ничего — стоит лишь взглянуть на газетные вырезки. «Забыть про удачную полосу. Забыть про кубок штата. Прогнать Гриффинов. Вернуть Эдди Рейка». Пока мы выигрывали, все шло более-менее нормально. Но всего один проигрыш — и город на много лет оказался расколотым надвое. Через неделю мы продули еще раз, не пройдя квалификацию в плей-офф. Гриффины тут же ушли.

— Умные ребята.

— Те из нас, кто играл у Рейка, оказались в подвешенном состоянии. Каждый непременно интересовался: «На чьей ты стороне?» Никаких колебаний, приятель, нужно только сказать, ты за Рейка или против него.

— За кого был ты?

— Я вилял и получал пинки с двух сторон. Это форма противостояния классов. Всегда найдется группа людей, очень малочисленная, члены которой выступают против того, что на футбол тратится денег больше, чем на естественные науки и математику, вместе взятые. Нас возили на арендованных автобусах, а научные кружки ездили на машинах с родителями. Девочки-футболистки много лет вообще не имели своего поля, а у нас только тренировочных было целых два. Латинский клуб хотел выехать в Нью-Йорк, но так и не смог этого сделать, а футбольную команду в том же году отправили на поезде в Новый Орлеан смотреть суперкубок. Список бесконечен. После увольнения Рейка недовольные голоса зазвучали громче, и те, кто хотел бы принизить роль спорта, увидели новые возможности. Околофутбольная братия сопротивлялась, требуя возвращения Рейка и новой удачной полосы. На тех из нас, кто играл в футбол и потом уехал в колледж, смотрели несколько по-иному — и мы оказались меж двух огней.

— Что-то произошло?

— Ситуация несколько месяцев тлела и варилась сама в себе. Джон Риордан твердо стоял на своем. Он вытащил из Оклахомы какого-то парня, не нашедшего себя, и нанял его вместо Эдди Рейка. К несчастью, 93-й был годом переизбрания Риордана, и его решение обернулось большим политическим действием. Ходил упорный слух, будто Рейк выставит свою кандидатуру против Риордана, а если его изберут, Рейк объявит себя главным тренером и пошлет всех к черту. Еще говорили, что отец Скотти собирался вложить в избирательную кампанию Джона Риордана миллион баксов. И так далее. Еще до старта гонка выглядела отвратительной — настолько, что лагерь Рейка едва смог найти кандидата.

— Кого они выставили?

— Дадли Бампуса.

— Звучное имя.

— И не более того. Местный спекулянт недвижимостью, громче всех оравший на трибунах. Ни политического чутья, ни опыта преподавания, ни образования. Он с трудом окончил колледж. Зато не сидел, хотя обвинение предъявляли. В общем, этот лузер не вышел в победители.

— Риордан одержал верх?

— Победил с шестьюдесятью голосами «за». Почти девяносто процентов — лучший результат за всю историю округа. Когда огласили имя победителя, Рейк вернулся домой, запер дверь и не показывался два года.

Они остановились у долгого ряда надгробий. Пол прошелся вдоль могил.

— Здесь, — сказал он, показав на один из камней, — Дэвид Ли Кофф. Первый «Спартанец», погибший во Вьетнаме.

Заметив на камне фото, Нили подошел к надгробию. Дэвид Ли, лет шестнадцати на вид, был снят не в военной форме и не для выпускного альбома. Его сфотографировали в зеленой футболке «Спартанцев» с номером 22 на груди. Родился в 1950-м, убит в 1968-м.

— Я знаю его брата, самого младшего, — сказал Пол. — Дэвид Ли окончил школу в мае. В июне попал на сборный пункт, в октябре оказался во Вьетнаме и погиб после Дня благодарения, на следующий же день. Восемнадцати лет и двух месяцев от роду.

— За два года до нашего рождения.

— Около того. Еще одного «Спартанца» не нашли до сих пор, черного парнишку Марвина Рудда. Марвин пропал без вести в боевой операции в 1970-м.

— Помню, Рейк говорил нам про Рудда, — сказал Нили.

— Рейк любил этого парня. Его родители до сих пор ходят на каждую игру — и можешь представить, о чем они думают.

— Уйдем отсюда, я устал от смерти, — сказал Нили.

Нили не помнил в Мессине ни книжного магазина, ни такого места, где можно было бы выпить чашку кофе или купить кофе в зернах из Кении. Заведение Ната предлагало все три удовольствия, а заодно — журналы, сигары, компакт-диски, черно-белые поздравительные открытки, цветочный чай сомнительного происхождения, вегетарианские бутерброды и супы. Место также служило для встреч с бродячими поэтами, фолк-певцами и редкими чудаками, мнившими себя городской богемой. Магазин выходил на площадь всего в четырех дверях от банка, которым владел Пол, и находился в доме, где когда-то, во времена их детства, продавали корм и удобрения.

Пол захотел оформить какие-то ссуды, так что Нили изучал местность в одиночку.

Нат Сойер вошел в футбольную историю «Спартанцев» как худший из всех. Именно Сойер поставил рекорд минимального среднего числа ярдов на один удар. Он всегда терял много снэпов, так что обычно Рейк начинал «плющить» Ната только на восьмой минуте четвертой четверти — и не имело значения, у кого мяч. Впрочем, пока Нили играл на месте квотербека, хороший пантер не был необходимостью.

В год выпуска Нат умудрился дважды за сезон промазать ногой но мячу, породив самый популярный видеоклип в истории программы футбольных новостей. После второго промаха случился комичный тачдаун с забегом на 94 ярда, по точному хронометражу на видеопленке длившийся 17,3 секунды. Нат, стоявший в конечной зоне на своей стороне, а потому сильно нервничавший, захватил снэп и подбросил мяч в воздух. Пробив ногой и смазав по мячу, он тут же попал в разделку к двум защитникам из «Гроув-Сити». Поскольку мяч вертелся на земле рядом с ним, Нат, как-то извернувшись, собрался, схватил мяч и побежал. Два защитника, по-видимому, впав в ступор, начали преследование, и Нат довольно неловко пробил ногой с лёта. Снова промазав, он опять подобрал мяч, и невиданный забег начался. Вид этакой неловкой газели, в совершенном ужасе ковыляющей через поле, привел в оцепенение большинство игроков двух команд. Позже Силос утверждал, будто смеялся так сильно, что не мог никого блокировать ради прохода пантера. Он клялся, что слышал смех даже из-под шлемов ребят из «Гроув-Сити».

На видеозаписи тренеры насчитали десять упущенных блокировок. В итоге, оказавшись в конечной зоне, Нат влепил мяч в землю, как положено, сделав спайк, а потом, не боясь штрафа, сбросил шлем — и рванул к домашней трибуне, чтобы болельщики могли полюбоваться им с близкого расстояния.

Рейк выдал Нату награду за «Самый ужасный тачдаун года».

В десятом классе Нат попытался играть в защите, но он не умел бегать и не любил драться. В одиннадцатом попробовал сыграть ресивера, и, когда они стояли нагнувшись, Нат получил от Нили удар в живот, после которого не мог дышать целых пять минут. Никого из игроков Рейка так не поносили за бездарность. Ни один из питомцев Рейка не выглядел в форме так нелепо.

Окно было заставлено книгами, рекламируемым кофе и завтраками. Скрипнула дверь, брякнул звонок, и на секунду время шагнуло вспять. Потом Нили ощутил запах ладана и понял, что здесь точно заправляет Нат.

Из-за стеллажей вышел хозяин собственной персоной, держа в руках стопку книг, и с улыбкой произнес:

— Доброе утро. Что-нибудь ищете? — И тут же, остолбенев от неожиданности, уронил книги на пол. — Нили Крэншоу!

Нат ринулся вперед с той же неуклюжестью, с какой обычно бил по футбольному мячу. Они неловко обнялись, и Нили получил острым локтем по бицепсу.

— Как я рад тебя видеть! — с чувством сказал Нат. На секунду их взгляды встретились.

— Приятная встреча, Нат, — немного смущенно ответил Нили. Хорошо еще, что, кроме них, в магазине был всего один посетитель.

Отступив на шаг, Нат спросил:

— Ты что, смотришь на мои серьги?

— Ну да, изрядная у тебя коллекция.

На каждом ухе Ната висело по меньшей мере пять серебряных колец.

— Как тебе: первый мужчина с серьгами в Мессине! И первый с прической «конский хвост». Мне есть чем гордиться?

Поправив длинные черные волосы, Нат показал свой конский хвост.

— Хорошо смотришься.

Нат смерил Нили сверкающим взглядом — так, словно он уже несколько часов дожидался чашки горячего кофе.

— Как твое колено? — спросил Нат, озираясь по сторонам, как будто ранение Нили могло быть тайной.

— Теперь лучше, Нат.

— Сукин сын снес тебя вне зоны. Я точно видел, — заявил Нат с уверенностью человека, стоявшего в день игры «Тека» на боковой линии.

— Нат, это было давно. В другой жизни.

— Как насчет кофе? Тут привезли какой-то новый из Гватемалы. Говорят, адски кайфовый.

Миновав полки и стеллажи, они проникли в глубь помещения, где перед взглядом Нили материализовалось импровизированное кафе. Почти бегом скрывшись за захламленным прилавком, Нат принялся расшвыривать посуду. Наблюдая за ним, Нили уселся на высокий стул. Что бы Нат ни делал, это никогда не выглядело грациозным.

— Говорят, ему осталось не больше суток, — сказал Нат, споласкивая маленькую чашку.

— В этом городе слухи — верный источник. Особенно насчет Рейка.

— Нет, информация от кого-то из самого дома.

Предполагалось, что знать последние новости недостаточно: нужно иметь самый лучший источник.

— Сигару хочешь? Я достал контрабандные кубинские. Второе из самых больших удовольствий.

— Нет, спасибо. Я не курю.

Нат уже заправлял водой большую кофейную машину итальянского производства. Обернувшись через плечо, он спросил:

— А что у тебя за работа?

— Недвижимость.

— Да ты оригинал.

— За это платят. Нат, у тебя классный магазин Карри сказал, что бизнес идет в гору.

— Я только хотел посеять в этой пустыне немного культуры. Представляешь, для старта Пол выдал мне тридцать тысяч баксов кредита. У меня ничего не было, кроме идеи и восьми тысяч долларов. Конечно, мама хотела подписать закладную.

— Как у нее со здоровьем?

— Спасибо, отлично. Мама отказывается стареть. Продолжает учительствовать в третьем классе.

По всем правилам заварив кофе, Нат, покручивая ус, навалился на прилавок рядом с небольшой раковиной.

— Нили, веришь ли ты, Рейк вот-вот умрет... Мессина без Эдди Рейка. Он взялся тренировать сорок четыре года назад. Тогда половина жителей округи еще не родилась.

— Давно ты с ним виделся?

— Он частенько захаживал. А потом заболел, ослаб и ушел домой умирать. Никто не видел Рейка уже шесть месяцев.

Нили окинул взглядом помещение.

— Рейк бывал здесь?

— Не то слово. Он стал моим первым клиентом. Он вдохновил меня открыть эту кофейню, вел обычные разговоры: брось всякий страх, работай упорнее других, никогда не говори «больше не могу» — в общем, обычная накачка в перерыве игры. Я открылся, и Рейк полюбил заходить сюда с утра, незаметно, чтобы выпить кофе. Наверное, чувствовал себя в безопасности, потому что здесь никогда не бывает толпы. Войдя в эту дверь, большинство местной деревенщины боится подцепить СПИД.

— Давно ты открылся?

— Семь с половиной лет назад. Первые два года не хватало заплатить за свет. А потом дело постепенно наладилось. Пошел слух, что сюда ходит Рейк, — и город охватило любопытство.

Услышав, как зашипела машина, Нили сказал:

— Кажется, готов твой кофе. В жизни не видел Рейка с книгой.

Налив кофе, Нат поставил на прилавок две маленькие чашки на блюдцах.

— Вроде крепкий, — понюхав, сказал Нили.

— Нужно бы принимать это по рецепту. Рейк однажды спросил, что лучше почитать. Я дал Реймонда Чандлера. Он пришел на следующий день и попросил еще. Чтиво понравилось. Тогда я дал ему Дэшила Хэммета. Потом он опять вернулся, за Элмором Леонардом. Я открываю в восемь утра, а так работают немногие книжные магазины, и Рейк приходил один или два раза в неделю, всегда очень рано. Мы садились в углу и говорили о книгах. Никогда про футбол. Только о книгах. Рейк обожал детективы. Но когда звонил колокольчик у входной двери, он вставал и незаметно уходил через заднюю. И шел домой.

— Почему?

Нат отхлебнул кофе, и маленькая чашка на секунду исчезла в его удивительно мохнатых усах.

— Про это мы почти не говорили. Рейк стыдился жить как отшельник. Да, у него было чувство собственного достоинства, и он чему-то нас научил. Но также он чувствовал, что виноват в смерти Скотти. Многие проклинали его, и они никогда не успокоятся. Знаешь ли, это груз, и довольно серьезный. Тебе нравится кофе?

— Очень крепкий. Тебе его не хватает?

Еще один неторопливый глоток.

— Скажи, разве его не может не хватать, если однажды играл в его команде? Я каждый день вижу его лицо. Слышу его голос. Чувствую запах его пота. Чувствую, как он лупит меня и на мне нет защиты. Я могу воспроизвести его рычание, его брюзжание и брань. Помню его рассказы. И его уроки. Помню все сорок раскладок и тридцать восемь игр, на которые я выходил в спортивной форме. Четыре года назад умер отец, и я любил его всей душой, но, как ни тяжело говорить, отец повлиял на меня гораздо меньше, чем Эдди Рейк.

Прервавшись в середине этой мысли, Нат медленно выпил глоток кофе.

— Много позже я открыл это заведение, узнав Рейка с несколько иной стороны. Не как человека-легенду. Меня больше не накручивали. Перестав нуждаться в его крике, я стал восхищаться этим старпером. Да, Эдди Рейк — не подарок, но он человек. Когда умер Скотти, Рейк тяжело переживал, а ведь ему было некому раскрыть душу. Он много молился и ходил к мессе каждое утро. Наверное, ему помогали книги — там открывался новый мир. Он утонул в чтении, в сотнях книг, возможно, тысячах.

Нат сделал еще один быстрый глоток.

— Мне его не хватает. Его, сидящего там, в углу, и рассуждающего о книгах или авторах. О чем угодно — только бы не говорить о футболе.

Негромко брякнул звонок на входной двери. Нат пожал плечами:

— Один черт нас найдут. Хочешь что-нибудь? Может, оладьи?

— Нет, я поел в «Ренфроуз». Там по-прежнему. Та же грязь, то же меню. И мухи те же.

— И «болелы», которым неймется из-за того, что команда опять играет с поражениями.

— Угу. Ты ходишь на футбол?

— Не-а. Если ты единственный открыто признанный гей в городе, то начинаешь остерегаться толпы Люди таращатся, показывают пальцем, уводят детей. Я свыкся, но предпочитаю избегать этих сцен. Наконец, я либо пойду один, что неинтересно, либо могу привести с собой пару, что точно сорвет игру. Представь: я иду с каким-нибудь симпатичным молодым человеком, и мы держимся за руки. Побьют камнями.

— Как ты вообще дошел до такой жизни? Здесь, в нашем-то городе?

Отставив кофе, Нат засунул руки поглубже в карманы джинсов.

— Не здесь, старик. Когда окончил школу, я какое-то время пожил в округе Колумбия, где быстро понял, что к чему. И я не дошел до такой жизни, а выбил в нее дверь. Устроился работать в книжный магазин, научился бизнесу. Пять лет жил на всю катушку и ни в чем себе не отказывал. Потом я устал от города. Если честно, потянуло домой. Начал болеть отец, и я решил вернуться. Был один долгий разговор с Рейком. Я рассказал ему правду. Эдди Рэйк — первый, кому я открылся.

— Как он реагировал?

— Сказал, он мало что знает про геев, но раз уж я сам понял, кто я такой, остальные идут к черту. «Иди и живи своей жизнью, сынок». Еще он сказал: «Одни возненавидят тебя, другие полюбят, но большинство останется безразличным. Это касается одного тебя»

— Очень похоже на Рейка.

— Старик, его слова придали мне мужества. Потом Рейк убедил меня открыть магазин, а когда показалось, что я сделал большую ошибку, он начал часто приходить в мое заведение — и об этом месте заговорили. Одну минуточку. Не уходи!

Нат метнулся ко входу в магазин, где ждала очень пожилая дама. Он вежливо, более чем дружелюбным голосом назвал ее по имени, и оба тут же закопались в книгах.

Обойдя прилавок, Нили налил себе еще чашку ароматного варева. Вернувшись, Нат сказал:

— Приходила миссис Ундервуд, она вечность командовала нашими уборщиками.

— Помню.

— Сто десять лет, и она любит эротические вестерны. Прикидываешь?.. Работая в книжном, узнаешь много чего хорошего. Она решила — здесь можно покупать, раз у меня тоже есть секреты. Плюс в сто десять лет она, наверное, уже не того... — Нат положил на тарелку толстую лепешку с черникой. — Кусни.

Разломив лепешку, он выставил тарелку на прилавок. Нили взял кусочек поменьше.

— Сам это печешь? — спросил он.

— Каждое утро. Покупаю замороженные — и в микроволновку. Никто не понимает разницы.

— Неплохо. Ты давно виделся с Кэмерон?

Прекратив жевать, Нат озадаченно уставился на Нили.

— С чего ты вдруг заинтересовался Кэмерон?

— Так вы ведь дружили. Просто интересуюсь.

— Надеюсь, тебя мучает совесть?

— Так и есть.

— Хорошо. Надеюсь, тебе больно?

— Может быть. Иногда.

— Мы переписываемся. Все отлично, она живет в Чикаго, замужем, и у нее две маленькие дочки. И все-таки почему ты спросил?

— Я не могу спросить об однокласснице?

— Их почти две сотни. И почему-то первой, о ком ты спросил, оказалась она.

— Прости, пожалуйста.

— Нет, я хочу знать. Нили, скажи, почему ты спросил о Кэмерон?

Нили молча бросил в рот несколько крошек. Затем пожал плечами и улыбнулся:

— Ладно, я думал о ней.

— И ты думал о Скример.

— Как можно ее забыть?

— Ушел с бабенкой, легко получил свое, а на длинной дистанции вдруг выяснил, что ошибся.

— Признаю, был молодой и глупый. Хотя, конечно, весело погуляли.

— Ты был весь из себя, настоящий американец. Нили, в нашей школе ты мог гулять с любой девчонкой. Ты отказался от Кэмерон, потому что волочиться за Скример казалось круто. Я тебя ненавидел

— Да ты что, Нат? Правда?

— До самых печенок. С ней мы дружили с детского сада, еще до твоего появления в городе. Она знала что я не такой, как все, и она всегда меня защищала. А я старался защищать ее. Кэмерон сделала большую ошибку — влюбилась в тебя. Но Скример решила, что ей нужен настоящий американец. Юбки стали короче, кофточки теснее — и ты спекся. Мою обожаемую Кэмерон бросили.

— Прости, что напомнил.

— Да, старик... Поговорим о чем-нибудь еще.

Наступила томительная минута, когда обоим казалось, что говорить не о чем.

— Погоди, еще увидишь кое-кого, — сказал Нат

— Она симпатичная?

— Скример выглядит престарелой девушкой по вызову, пусть и не самого дешевого разряда. Каковой, вероятно, и является. А Кэмерон — классная.

— Думаешь, она приедет?

— Вполне возможно. Мисс Лайла научила ее играть на пианино.

Нили никуда не собирался, но, быстро взглянув на часы, все-таки сказал:

— Нат, нужно бежать. Спасибо за кофе

— Спасибо, что зашел, Нили, мы отлично посидели.

Мимо стоек и полок они зигзагом пробрались к выходу. Нили остановился у двери.

— Послушай, мы с ребятами вечером ходили на трибуну. Вроде ночного бдения — пиво, рассказы про войну. Не желаешь присоединиться?

— Было бы неплохо. Спасибо.

Нили открыл дверь и шагнул через порог. Неожиданно Нат поймал его за руку:

— Нили, я соврал насчет ненависти.

— Почему?

— Это невозможно. Ведь ты — наш всеамериканский герой.

— Нат, те времена ушли в прошлое.

— Пока Рейк не умер — нет.

— Передай Кэмерон, что я хотел ее видеть. Есть о чем поговорить.

Скупо улыбнувшись, секретарь передала бумаги. скользнувшие через стол. Нили печатными буквами вписал имя, поставил время, дату и добавил, что приехал навестить Бинга Элбриттона, много лет тренировавшего команду баскетболисток. Секретарь изучила бланк, не вспомнив ни его лица, ни имени, и сказала, что тренер, вероятно, находится в гимнастическом зале. Взглянув на посетителя, вторая дама из административного офиса тоже не узнала Нили Крэншоу.

Что совсем не плохо.

В коридорах мессинской школы было пусто. Двери всех классов закрыты. Те же шкафчики. Те же краски. Те же надраенные до воскового блеска полы. Возле туалетных комнат тот же вязкий запах дезинфекции. Можно не сомневаться, что, зайдя в одну из комнат, он услышит тот же звук падающих капель, почувствует тот же запах запрещенных сигарет и увидит те же стоящие в ряд писсуары, а может, и каких-нибудь дерущихся оболтусов. Нили прошел коридором мимо класса, в котором занимался алгеброй на уроках мисс Арнет. Заглянув в узкое дверное стекло, поймал мимолетный взгляд своей бывшей учительницы, заметно постаревшей на пятнадцать лет и объяснявшей те же формулы, сидя на углу того же стола.

Неужели вправду прошло пятнадцать лет? На секунду Нили вдруг почувствовал себя восемнадцатилетним мальчишкой, ненавидевшим алгебру и английский язык и ничего не ждавшим от этих занятий, потому что собирался ловить удачу на футбольном поле. Он вздрогнул, на мгновение окунувшись в лихорадочную гонку и волнения прошедших пятнадцати лет.

Мимо прошел уборщик — престарелый джентльмен, наводивший чистоту в здании со времен постройки. Долю секунды он смотрел на Нили, будто узнавая, но тут же отвернулся и вяло пробурчал себе под нос: «Добр-утро».

4*

Главный вход в школу открывался в просторный атриум, выстроенный в год выпуска Нили. Атриум примыкал к двум более старым школьным зданиям и шел дальше до входа в гимнастический зал. По стенам красовались фотографии выпускных классов, начиная с 1920 года.

Баскетбол считался в Мессине вторым по важности видом спорта, но из-за футбола город так привык к спортивным победам, что ожидал появления династии от любой команды. В конце семидесятых Рейк решил, что школе нужен новый гимнастический зал. Ссуда под залог прошла девяноста процентами голосов. и Мессина с гордостью отстроила лучшую в штате площадку для занятий баскетболом. Уже вестибюль у входа представлял собой настоящий зал славы.

Центральным экспонатом был внушительный и очень дорогой стенд, внутри которого Рейк тщательно расположил все тринадцать маленьких памятников. Тринадцать кубков штата, начиная с 1961-го и заканчивая 1987-м годом. За каждым находились большая фотография команды и коллаж с победным счетом и газетными вырезками. Здесь же хранились подписанные футбольные мячи и форма с вышедшими в почетную отставку номерами, в том числе номером 19 Наконец, здесь было множество фотографий Рейка — Рейк с Джонни Юнитасом на какой-то межсезонной встрече, Рейк с губернатором тут, Рейк с губернатором там, Рейк с Романом Армстедом сразу после игры «Пэкерс».

Нили побродил по экспозиции несколько минут, несмотря на то что видел это много раз. Все выглядело щедрым даром, принесенным блестящему тренеру и его верным игрокам, и одновременно, казалось грустным напоминанием о прошедшем. Однажды кто-то сказал, что этот зал — душа и сердце Мессины. Но в еще большей степени это место годилось для поклонения Эдди Рейку и вполне могло сойти за алтарь, где преклоняют колена его последователи.

Вдоль стен до самых дверей спортзала выстроились другие стенды. Снова мячи с автографами от других выпусков, менее успешных. Новые трофеи размером поменьше, взятые менее значимыми командами. Нили в первый и лучше, если бы в последний раз посочувствовал тем, кто тренировался и добивался успехов, но ушел из спорта незамеченным, потому что занимался не главным видом.

Главным, неизменно «королевским» спортом оставался только футбол. Футбол приносил славу и платил по счетам, а это кое-что значило.

Где-то совсем рядом грянул до боли знакомый звонок, заставив Нили вернуться в реальность, границы которой он нарушил, опоздав на пятнадцать лет. Шагая назад через атриум, он оказался в толпе детворы, неистово выплеснувшейся на большую перемену. Коридоры в минуту ожили и наполнились учениками, отчаянно вопившими, толкавшимися, стукавшимися о шкафчики и высвобождавшими гормоны с тестостероном, мучившие их целых пятьдесят минут.

Ни один из них не узнал Нили Крэншоу.

В него едва не врезался мускулистый парень с очень накачанной шеей в зелено-белой именной футболке «Спартанцев», символизировавшей статус, которому в Мессине не было равных. У парня был типичный вид кого-то, кто вообразил себя хозяином этого коридора, пусть и ненадолго. Он внушал авторитет. Он ждал восхищения. Ему улыбались девочки. Мальчики уступали ему дорогу.

«Пройдет всего несколько лет, крутой парень, и если ты вернешься, никто не вспомнит твою рожу, — подумал Нили. — Сказочная карьера останется в прошлом. Клевые девочки станут мамашами. Зеленая футболка согреет лишь твое самолюбие, и ты не сможешь ее носить. Школьные вещи. Детские игрушки».

Почему тогда это было так важно?

Нили вдруг почувствовал себя очень старым. Пройдя через толпу, он быстро покинул школу.

После полудня, ближе к вечеру, Нили ехал по узкой гравийной дороге, поднимавшейся вверх вокруг Каррз-Хилл. Когда терраса расширилась, он свернул с дороги и остановился. Внизу, всего в одной восьмой мили от него, стоял дом «Спартанцев», а чуть правее виднелись два тренировочных поля, на одном из которых толкали друг друга упакованные в защиту игроки университетской команды, а на другом юниоры отрабатывали рывок. Свистели и покрикивали тренеры

На поле имени Рейка Кролик двигал зелено-желтую газонокосилку «Джон Дир», таская ее туда и обратно по чистой траве, как всегда делал с марта по декабрь. Группа поддержки вышла на беговую дорожку перед домашней трибуной, чтобы прикинуть эскиз пятничного боестолкновения и отработать кое-какие новые маневры. За дальней конечной зоной расположился оркестр, чтобы немного порепетировать.

Мало что изменилось. Другие тренеры, другие игроки и другая группа поддержки, другие ребята в составе оркестра — но это были «Спартанцы» на своем поле с толкающим газонокосилку Кроликом и обычными переживаниями по поводу пятницы. Нили знал, что вернись он посмотреть на эту сцену еще через десять лет — не изменятся ни люди, ни место.

Другой год, другая команда, другой сезон.

С трудом верилось: неужели Эдди Рейк мог дойти до того, что сидел примерно там, где теперь сидел Нили, наблюдая за игрой из такой дали, что узнавал о происходящем на поле по радио? Болел ли он за «Спартанцев»? Или из чувства противоречия Рейк втайне надеялся на их поражение во всех играх подряд? У Рейка был тяжелый нрав, и он мог копить обиду годами

Нили ни разу не проигрывал на этом поле. Его команда, состоявшая из новичков, осталась непобежденной, чего, впрочем, и ждала Мессина. Новички играли вечером по четвергам, и на них ходило больше зрителей, чем на игры университетских команд. Как начинающий, Нили проиграл всего дважды, оба раза в финале и оба — в кампусе «Эй-энд-Эм». В восьмом классе их команда сыграла вничью с «Портервиллем», дома, и в тот раз Нили оказался ближе всего к проигрышу футбольного матча на своем поле.

Та ничья дала Рейку повод явиться в раздевалку и устроить жесткий послематчевый разбор с лекцией о значении «спартанской» гордости. Хорошенько попугав горстку тринадцатилетних ребят, главный тренер Рейк сменил тренера их команды.

Нили продолжал смотреть на поле, а ему в голову продолжали лезть старые истории. Не имея желания ничего вспоминать, он завел мотор, развернулся и уехал прочь

Человек, отвозивший в дом Рейков корзину с фруктами, услышал кое-какой шепоток, и через короткое время весь город знал, что тренер впал в забытье, из которого не бывает возврата.

К наступлению сумерек слух добрался до трибун, где в ожидании собрались немногочисленные группы игроков из разных команд и разных десятилетий. Некоторые сидели в одиночестве, погрузившись в собственные думы о Рейке и о славе, так давно растаявшей в тумане прошлого.

Пол Карри уже вернулся — в джинсах, свитере и с двумя большими пиццами, которые испекла и прислала Мона, чтобы в этот вечер мальчишки могли ощутить себя мальчишками. Здесь же был Силос с холодным пивом. Куда-то запропал Колпак, что вовсе не было удивительно. Жившие в пригороде близнецы Утли, Ронни и Донни, тоже прослышали насчет возвращения Нили. Пятнадцать лет назад они были неотличимыми друг от друга 160-фунтовыми защитниками-лайнбэкерами, и каждый мог в одиночку снести дуб.

Когда стемнело, все продолжали наблюдать за Кроликом, который подошел к табло со счетом и включил свет на юго-западной мачте. Рейк был еще жив Поперек поля «Рейкфилд» легли длинные тени, а бывшие игроки продолжали ждать. Стадион покинули любители бега, и дорожки опустели. Временами в одной из собравшихся на домашней трибуне групп слышался смех: кто-то рассказывал давнюю футбольную байку. Но остальные голоса звучали тихо. Теперь Рейк лежал без сознания, и конец был совсем близок.

Их отыскал Нат Сойер. Он что-то принес в большом кейсе.

— Нат, у тебя там не наркотики? — спросил Силос.

— Не-ет... Сигары.

Кубинскую первым закурил Силос. Потом Нат, потом Пол, и последним — Нили. Близнецы Утли ничего не пили и не курили.

— Ни за что не догадаетесь, что я приволок! — воскликнул Нат.

— Девку? — предположил Силос.

— Силос, заткнись!

Открыв сумку, Нат вытащил оттуда большой кассетный магнитофон, «Бум-бокс».

— Ша, ребя... будет джаз-з. От чё я хотел! — обрадовался Силос.

Держа в руке кассету, Нат во всеуслышание объявил:

— На этой записи Бак Кофи комментирует финал чемпионата 87-го года.

— Быть не может, — сказал Пол.

— Угу. Я слушал запись вчера вечером, в первый раз за эти годы.

— Я никогда ее не слышал, — произнес Пол.

— А я не знал, что игры записывались, — отозвался Силос.

— Ты много чего не знал, Силос, — заметил Нат.

Поставив кассету, Нат принялся тыкать в кнопки.

— Парни, если не возражаете, я думаю, мы пропустим первую половину матча.

Нили сумел засмеяться. В первой половине он сделал четыре перехвата и проворонил один. «Спартанцы» проигрывали 0:31 удивительно талантливой команде из Ист-Пайка.

Зашуршала лента, и тишину трибун прорезал неторопливо-хрипловатый голос Бака Кофи:

— Итак, друзья, во второй половине с вами Бак Кофи, здесь, в кампусе «Эй-энд-Эм», на матче, который полагался встречей равных команд, не потерпевших ни одного поражения. Но ничего подобного. «Ист-Пайк» лидирует по всем статьям, исключая пенальти и потери. Счет 31:0. Я вспоминаю игры «Спартанцев» из Мессины за последние двадцать два года и не помню ничего похожего на первую половину этого матча.

— Где теперь Бак? — спросил Нили.

— Ушел, когда убрали Рейка, — ответил Пол.

Нат добавил громкости, и над стадионом зазвучал голос Бака. На игроков других команд он подействовал как магнит. Подтянулись Рэнди Эйгер и двое его товарищей из команды 1992 года. Вернулись обутые в кроссовки юрист Джон Коуч, его друг-оптик Бланшар Тиг и четверо других ребят из эпохи «Полосы удачи». Еще человек десять — двенадцать тоже подошли ближе.

— Итак, команды вернулись на поле, и мы прерываемся ради выступления спонсоров.

— Я поимел эту хренотень у спонсоров, — сообщил Нат.

— Отлично, — оценил Пол.

— Ты умный пацан, — сказал Силос.

— Я смотрю на боковую линию — и не вижу тренера Рейка. Да, на поле действительно нет ни одного тренера. Команды готовятся к начальному удару второй половины матча — но непонятно, где тренеры «Спартанцев»? Что по меньшей мере очень, очень странно.

Кто-то спросил:

— А где были тренеры?

Ничего не ответив, Силос пожал плечами.

Именно этим вопросом, так и оставшимся без ответа, Мессина задавалась вот уже пятнадцать лет. Было ясно, что тренеры бойкотируют вторую половину игры, но почему?

— «Ист-Пайк» пробивает в направлении южной зоны. Удар... Удар короткий, Маркус Марби подбирает мяч на отметке восемнадцать ярдов, отходит назад, срезает поперек поля, находит проход — и... его останавливают на тридцатиярдовой линии, откуда «Спартанцы» пытаются организовать атаку, первую за сегодняшний вечер. В первой половине у Нили Крэншоу три передачи из пятнадцати. «Ист-Пайк» поймал больше его пасов, чем «Спартанцы»

— Вот засранец, — сказал кто-то.

— Мне казалось, он на нашей стороне.

— Конечно, но когда мы выигрывали, ему больше нравилось.

— Погодите! — воскликнул Нат.

— По-прежнему не видно ни Рейка, ни других тренеров. Это настораживает. «Спартанцы» заканчивают короткое совещание, и Крэншоу строит свое нападение. Карри справа, он принимающий. Марби — бегущий. У «Ист-Пайка» восемь защитников ждут, подзуживая Крэншоу, чтобы тот вбросил мяч в игру. Снэп назад и вправо — Крэншоу опять берет мяч, он идет в атаку, видит впереди просвет и врезается в защитника, сшибает блок, переворачивается — выходит на сороковую, сорок пятую, на пятидесятую отметку — и останавливается на сорок первой «Ист-Пайка», за линией. Крэншоу «привозит» своей команде двадцать девять ярдов! Лучшая игра нападения «Спартанцев» в сегодняшнем матче. Возможно, они вернулись к жизни

— Парни, та команда билась по-честному, — сказал Силос.

— У них пятеро были записаны в первый дивизион, — сказал Пол, вспомнив кошмар первой половины матча. — Четверо стояли в защите.

— Можешь не напоминать, — ответил Нили.

— Команда «Спартанцев» наконец-то проснулась. Сбившись в кучку на совещание, они что-то кричат друг другу, и теперь боковая линия действительно никого не интересует. Крэншоу делает знак «пошли» — он показывает влево, и принимающий, Карри, занимает позицию. Марби в слоте, он начинает перемещаться, Крэншоу делает снэп назад — и следует быстрая передача Марби, прорвавшемуся к зачетной зоне по левому краю на шесть или, возможно, семь ярдов. Теперь «Спартанцы» выглядят гораздо более собранными. Они отряхивают друг друга от земли, стучат по шлемам. И конечно, Силос Муни занимает разговором по меньшей мере трех игроков противника. Всегда хороший знак.

— Что ты им такое говорил, Силос?

— Говорил, какое место им вот-вот оторвут.

— Мы проигрывали тридцать одно очко.

— Да-да, — подтвердил Пол. — Мы слышали. Силос начал опускать их после второго розыгрыша.

— Вторая — и три. Крэншоу на позиции. Снэп, быстрый пас назад Марби, который врезается в защитника, переворачивается, бежит к зачетной зоне противника — тридцатая, двадцатая — и падает за линией на шестнадцатой отметке «Ист-Пайка»! Три розыгрыша, сорок четыре ярда! Нападающий «Спартанцев» больше не допускает к мячу игроков противника. В первый раз «Спартанцы» получают шанс выйти на десятиярдовую отметку. В первой половине игры их было всего пять — и только сорок шесть ярдов пришлось на рывок. Не получая указаний с боковой линии, Крэншоу объясняет нападению свою комбинацию, свою, потому что на поле по-прежнему нет тренеров. Левый слот, Карри — принимающий, Марби — бегущий, вперед идет Чено, он смещается вправо, делает обманное движение — следует передача Марби, Марби врезается в защитника, перепрыгивает через лайнбэкера — и падает на десятиярдовой линии. Часы тикают, пока остается десять-ноль-пять в третьей четверти. Мессина в десяти ярдах от тачдауна и в тысяче миль от победы в чемпионате штата. Крэншоу с мячом, он отходит в «карман», будет передача, мяч у Марби, тот выходит в атаку перед линией розыгрыша, освобождается, широкий выход вправо и... Там никого! Он увеличивает счет! Он увеличивает счет! Маркус Марби с мячом ныряет за первым тачдауном «Мессины»! «Спартанцы» получают тачдаун! Возвращение началось!

Первым откликнулся Джон Коуч:

— Помню, как мы заработали эти очки, я подумал: на таких парнях не отыграешься. «Ист-Пайк» были здорово хороши.

— Но начальный удар они смазали, — сказал Нат, убавив громкость. — Не так, что ли?

— Ага, — подтвердил Донни, — Индус отобрал мяч где-то на пятидесятой, и мы закрутились, как шершни. Продержали мяч минут пять, а потом он ушел примерно на двадцатиярдовой линии.

Ронни кивнул:

— Они выдвинули тэйлбека справа на перехват. Результат нулевой. Набежали слева — то же самое. Третья — и одиннадцать, они отходят назад для распасовки — и тут Силос на шестиярдовой рубит их квотербека, прямо перед линией розыгрыша.

Донни:

— К несчастью, он воткнулся в землю головой вперед и пропахал ярдов пятнадцать. Грубая игра. «Ист-Пайку» отдали десять ярдов.

Силос:

— Нехорошо вышло.

Пол:

— Нехорошо? Ты пытался свернуть ему шею.

— Нет, дорогой банкир, я пытался его прикончить.

Ронни:

— Мы сошли с катушек. Силос рычал, как медведь гризли. Индус плакал — клянусь, я это видел. Ему хотелось срубить квотербека или кого угодно, чего бы это ни стоило.

Донни:

— Мы остановили бы и «Далласских ковбоев».

Бланшар:

— Кто рулил защитой?

Силос:

— Я. Чего проще — блокировать принимающих, вырубить тейтэнда, восемь парней делают коробочку — все играют очень плотно, каждый кого-нибудь валит, чисто-нечисто — не важно. Это уже была не игра, а рубка.

Донни:

— На третьей и восемь Хиггинс — тот самоуверенный крайний защитник, который переехал в Клемсон, — нагнул голову и рванул через центр. Пас накинули высоковато. Индус четко просчитал ситуацию, рванул наперерез, как скоростной поезд, и снес Хиггинса за полсекунды до встречи с мячом. Нормальное столкновение в борьбе за мяч.

Пол:

— Шлем подлетел футов на двадцать.

Коуч:

— Мы сидели на сороковом ряду и услышали такой звук, будто столкнулись две автомашины.

Силос:

— Мы радовались победе. Убили одного, а еще за двоих тренер выбросил флаг.

Ронни:

— Два флага, тридцать ярдов — нам было нипочем. Все равно, где возьмут мяч. Им не досталось бы ни одного очка.

Бланшар:

— Парни, вы надеялись, что они не увеличат счет?

Силос:

— Во второй половине матча ни одна команда не набрала бы очки. Когда Хиггинса в конце концов унесли с поля — добавлю, на носилках, — мяч был на нашей тридцатиярдовой линии. Они предприняли маневр и потеряли шесть ярдов, потом отошли, чтобы сделать передачу, и потеряли еще четыре, а потом их маленький квотербек опять стал в позицию, и мы его растоптали.

Нат:

— Их пантер положил мяч на три ярда.

Силос:

— Да, у них был хороший пантер. Зато у нас был ты.

Нат включил звук.

— Девяносто семь ярдов нужно пройти «Спартанцам» в оставшиеся меньше чем восемь минут третьей четверти, и пока ни одного намека на Эдди Рейка или его помощников. Пока мяч был у «Ист-Пайка», я наблюдал за Крэншоу. Правую руку он держал в корзинке со льдом, шлем оставался на голове. Передача налево, в сторону Марби, который не делает ничего. В надежде на хороший пас защитники перекидывают друг другу мяч.

Силос:

— Хороший пас... Не с трехъярдовой же линии, мудила...

Пол:

— Кофи всегда хотел стать тренером.

— Питч вправо, Марби промахивается, но принимает мяч, проходит вперед, ему дают немного свободы — и Марби на девятой отметке.

Коуч:

— Нили, ради интереса, помнишь, какой была твоя следующая комбинация?

— Конечно. Проход по правому краю. Я увидел возможность, прикинулся, что отдам пас Чено, сфинтил такой же пас Колпаку — и прошел десять ярдов. Линия нападения рубила всех.

— Первая — и десять «спартанцев» закончивших короткое совещание, идут на противника. Ребята, это другая команда.

Пол:

— Не знаю, для кого Бак вел репортаж. Его не слушали. Весь город сидел на стадионе.

Рэнди:

— Ошибаешься. Мы слушали. Всю вторую половину старались понять, что случилось с тренером Рейком. Так что фанаты Мессины сидели в наушниках.

— Передача из рук в руки Чено, вышедшему в лобовую против трех или четырех противников. Опустив шлем, он следует за Силосом Муни, которому противостоят двое защитников.

Силос:

— Всего-то двое! Меня оскорбили. Второй, низенький ублюдок с отвратительной рожей, весил фунтов примерно сто восемьдесят, но был, сука, корявый. Он вышел не играть, а базарить — и ушел с поля через одну минуту.

— Питч на Марби, снова широкий проход справа, он воевал немного, до тридцатой отметки, и вышел за линию. Самый молодой игрок «Ист-Пайка» корчится от боли на газоне.

Силос:

— Это он

Бланшар:

— Что ты сделал?

Силос:

— Они играли правый вынос, в сторону от нас. Я с ходу его заблокировал и уронил на землю, а потом сам упал, попав коленом в «солнышко». Он завизжал как резаный. Сыграл всего три розыгрыша и больше не вернулся.

— Вас могли наказать, выбросив флаг за грубую игру — в нападении или защите.

Нили:

— Когда парня уносили с поля, Клено мне сказал, что их левый блокирующий не очень хорошо двигается. Он что-то повредил, скорее всего потянул колено. Парень терпел боль, но не желал уходить с поля. В одном розыгрыше мы вдвоем набегали на него пять раз. На шестой — с Маркусом, который прижался к земле в семи ярдах в ожидании, кто перелетит через него. Отобрав мяч, я следил за избиением.

Силос:

— Нат, включи дальше.

— Первая — и десять на тридцативосьмиярдовой линии «Ист-Пайка». «Спартанцы» владеют мячом, но знают, что время работает против них. Во второй половине они не сделали ни одного длинного паса. Остается шесть минут. Слева движется Карри, снэп, перевод направо, питч на Марби — и Марби маятником идет вперед от тридцатой! Он на двадцать пятой! Восемнадцатиярдовая линия «Ист-Пайка» совсем близко — и «Спартанцы» стучатся им в дверь!

Нили:

— Марби после каждого розыгрыша ракетой мчался на совещание и говорил: «Дай мяч, брат, ну дай же мне мяч!» Мы так и делали.

Пол:

— И каждый раз, когда Нили объявлял комбинацию, Силос приговаривал: «Кто упустит мяч, тому пущу кровь».

Силос:

— Я не шутил.

Бланшар:

— Парни, вы хорошо следили за временем?

Нили:

— Да, хотя это не имело большого значения. Мы знали, что выиграем.

— Во второй половине матча Марби был с мячом в общей сложности двенадцать минут и «привез» семьдесят восемь ярдов. Снова быстрый снэп, движение по правому краю — нет, не совсем туда, — и «Спартанцы» методично разрушают защиту «Ист-Пайка» на левом фланге. Марби следует за Дастроном и Ватрано, ну и, конечно, Силос Муни не стоит в стороне.

Силос:

— Люблю Бака Кофи.

Нили:

— Не ты ли ухаживал за его младшей дочкой?

Силос:

— Какое там «ухаживал»... Уверен, Бак ничего не подозревал.

— Вторая — и восемь, начало — с шестнадцатой отметки, Марби опять заходит с правой стороны против троих или, возможно, четверых, — да, друзья, в окопах идет настоящая рукопашная.

Силос:

— Бак, в окопах всегда так. Поэтому их называют окопы.

Наступали сумерки, и компания мало-помалу разрасталась. Чтобы услышать комментатора, другие игроки подсаживались к ним или поднимались на их трибуну.

— Третья — и четверо, Карри — бегущий, передача назад, выход справа, Крэншоу с мячом, его пытаются сбить, он падает, падает вперед — два, может, три ярда. Девон Бонд крепко берет Нили в оборот.

Нили:

— Дэвон Бонд блокировал меня много раз. Мне казалось, будто я боксерская груша.

Силос:

— Единственный игрок, с которым я не мог ничего сделать. Я выстреливал мяч, потом целился в него, чтобы снести, но он куда-то исчезал или выставлял руку, чтобы пересчитать мне зубы. Очень трудный противник.

Донни:

— Вроде он делал списки?

Пол:

— В «Стилерс», года два. Потом из-за каких-то травм вернулся в «Ист-Пайк».

— Четвертая — и двое. Парни, эти двое больше чем огромные. «Спартанцы» получат очки — потому что им очень нужно бороться за счет. Время бежит, три минуты и сорок секунд до конца. Полный сбор, теперь Чено в движении, Крэншоу выдерживает длинную паузу — и они прыгают вперед! Вне игры! «Ист-Пайк» прыгнули с места до снэпа! Фол. «Спартанцы» бьют пенальти с пятиярдовой! Крэншоу применил свой старый финт головой — и он принес команде очки!

Силос:

— Финт головой, твою...

Пол:

— Дело было в ритме.

Бланшар:

— Помню, как разозлился их тренер. Он даже сунулся на поле.

Нили:

— И получил флаг. Еще на полдороге.

Силос:

— Парень был двинутый. Чем больше очков мы зарабатывали, тем он громче орал.

— Первый шанс из четырех — и линия гола совсем рядом. Комбинация слева, вот и питч, Маркуса Марби атакуют, он везет — и падает в конечную зону! Тачдаун «Спартанцев»! Тачдаун!

Тихим вечером голос Бака разносился гораздо дальше. В какой-то момент шум услышал Кролик. Держась в тени, он отправился выяснить, в чем дело. Он видел группу людей, сидящих или лениво развалившихся на сиденьях. Он видел пивные бутылки, чувствовал запах курева. В прежние времена Кролик «нагнул» бы нарушителей, как положено, приказав всем немедленно убраться с поля. Но эти были питомцами Рейка. Они были избранными. И они ждали, когда погаснет свет.

Если бы Кролик подошел ближе, он мог бы назвать каждого по имени или по номеру и мог точно сказать, где чей шкафчик.

Проскользнув за металлическое ограждение, Кролик сел под трибунами ниже игроков и замер, вслушиваясь.

Силос:

— Нили объявил удар по боковой, и это почти сработало. Мяч долго болтался по полю, прошел через всех до одного чертовых игроков — пока ход не нашел кто-то в форме «иного» цвета.

Ронни·

— Они два раза прошли по два ярда, потом рискнули сделать длинную передачу — и ее прервал Индус. Три — и аут, не считая того, что Индус снес их ресивера за пределами поля. Неоправданно грубая игра. Первый шанс.

Донни:

— Неприятный момент.

Бланшар:

— Мы на трибунах с ума сходили.

Рэнди:

— Отец едва не бросил приемник на поле.

Силос:

— Мы бы не заметили. Они не должны были увеличить счет.

Ронни:

— Они опять прошли три — и аут.

Нат:

— Первый розыгрыш в четвертой четверти.

И Нат включил громкость.

— «Ист-Пайк» готовится пробить на сорок первой отметке Мессины. Снэп, низкий и сильный удар, у боковой линии мяч берет Пол Карри, Карри идет вперед, его закрывают стенкой — какая отличная стенка! Двадцатая, тридцатая, сороковая! Отходит назад через центр поля, получает поддержку от Маркуса Марби, Марби блокирует, выходит на сороковую, тридцатую! Карри идет вдоль боковой! Ему помогают — везде блокирующие! Десятая, пятая, четвертая, вторая — тачдаун! Тачдаун «Спартанцев»! Девяностопятиярдовый возврат удара с ноги!

Нат выключил звук, чтобы все прочувствовали один из величайших моментов спортивной истории «Спартанцев». Возврат исполнили как по писаному: на бесконечных изнурительных тренировках Эдди Рейк сам ставил каждый их блок и каждое движение. Когда Пол Карри, исполняя свой танец, двигался в конечную зону противника, его сопровождали шестеро в зеленой форме — именно так, как учили на тренировках.

— Все встречаемся в конечной зоне! — снова и снова кричал Рейк.

На газон рухнули сразу два игрока «Ист-Пайка» павшие жертвами плотных, но вполне техничных блокировок, исполненных из слепой зоны. Именно так учил Рейк, когда они были еще в девятом классе.

«Возврат панта идеален, чтобы вбить противника в землю», — много раз повторял Рейк.

Пол:

— Давай еще послушаем?

Силос:

— Хватит одного раза. Кончается-то одинаково.

Когда пострадавших убрали с газона, начальный удар отдали «Ист-Пайку», игроки которого попытались затянуть оставшиеся примерно шесть минут игры. Хотя сражаться приходилось за каждый дюйм, во второй половине встречи нашелся короткий период, когда они при всех блестящих талантах смогли вымучить только шестьдесят ярдов. Их безукоризненная техника куда-то делась, сменившись нерешительным топтанием. Небо рушилось, и противник уже не мог этого остановить.

Любая потеря мяча влекла бешеную атаку с участием всех одиннадцати защитников. Каждый короткий пас кончался немедленной жесткой встречей с землей ресивера, который его получал. Длинных передач больше не было, а изолировать Силоса Муни казалось невозможным. В комбинации «четвертая — и двое», начатой на стороне Мессины с отметки двадцать восемь ярдов, «Ист-Пайк» решились заработать первую попытку — и сглупили. Изобразив питч влево, квотербек собрался было дать мяч направо, рассчитывая найти там тейтэнда. Но этого защитника как раз обрабатывал стоявший на линии Донни Утли, брат-близнец которого с энтузиазмом бешеной собаки надвигался на квотербека. Стреножив квотербека, Ронни. как его учили, отобрал мяч, уложил противника на землю и дал «Спартанцам», все еще проигрывавшим 21:31, возможность заняться оставшимися в этой игре пятью тридцатипятиярдовыми проходами.

— Ни одной попытки сделать передачу во второй половине игры — с правой рукой Нили что-то не так. Когда на поле выходят защитники, он держит руку в корзине со льдом. Это не секрет для «Ист-Пайка», чьи игроки топчутся в основном перед линией розыгрыша.

Эйгер:
— Рука была сломана, так?
Пол:
— Да, рука была сломана.

Нили лишь кивнул.

Эйгер:

— Нили, как ты сломал руку?

Силос:

— Упал в раздевалке.

Нили промолчал.

— Первая — и десять с тридцать девятой отметки «Спартанцев», Карри — принимающий, он справа. Движение слева, питч Маркусу Марби на правую сторону, который проходит четыре, возможно, пять трудных ярдов. Дэвон Бонд повсюду на поле. Должно быть. мечта лайнбэкера — не беспокоиться о прикрытии паса, а отбирать мяч. Короткое совещание — и «Спартанцы» бегут к линии, они слышат, как тикают часы. Быстрый снэп, передача Чено за спиной Муни, работающего на убой в самом центре поля.

Силос:

— На убой — это я люблю.

Донни:

— Еще мягко сказано. Фрэнк пропустил блокировку на выносе, и Силос дал ему в морду прямо на совещании.

Нили:

— Нет. Он дал Фрэнку пощечину. Рефери хотел выбросить флаг, но засомневался — не знал, наказывают ли за грубость к игрокам своей команды.

Силос:

— Нечего было упускать блокируюшего.

— Третья — и один на сорок восьмой, четыре минуты двадцать до конца игры. «Спартанцы» возвращаются к линии раньше, чем «Ист-Пайк» становится на позицию. Быстрый снэп, Нили откатывается направо, мяч опять у него, он проходит пятидесятую, на сорок пятую и за пределы поля. «Спартанцы» реализуют первый шанс, часы остановлены. Теперь «Спартанцам» нужны два тачдауна. Для старта им придется использовать боковые линии.

Силос:

— Давай дальше, Бак. Почему бы тебе не объявлять комбинации?

Донни:

— Не сомневаюсь, он их знал.

Рэнди:

— Черт, их каждый знал. Распасовки не меняли тридцать лет.

Коуч:

— Парни, мы помним некоторые из ваших ходов против «Ист-Пайка».

— Марби ушел от блока на четыре ярда, и его атакует Дэвон Бонд вместе с сейфти, Армондо Батлером, настоящим охотником за головами. Они не заботятся о передаче и просто не могут допустить прохода. Комбинация с двумя тейтэндами, справа Чено в движении, проход слева, передача Марби, Марби прет вперед, пыхтя, как паровая машина. Он отвоевывает три ярда. Теперь третья — и трое, еще один важнейший розыгрыш, а сейчас они все важнейшие. Часы идут, осталось меньше четырех минут игрового времени. Мяч на тридцать восьмой отметке. После короткого совещания Карри бегом отходит влево и назад, Нили становится на позицию, снэп — он откатывается вправо и смотрит, опять смотрит, на него наседают, и, едва Нили пробует отойти вправо, его таранит Дэвон Бонд. Очень жесткий удар шлемом в шлем... Однако Нили медленно поднимается на ноги.

Нили:

— Я ничего не видел. Так сильно еще не били. Секунд на тридцать потемнело в глазах.

Пол:

— Мы не хотели терять время на тайм-аут, поставили его на ноги и сделали вид, что устроили новое совещание.

Силос:

— А я дал тебе оплеуху, что реально помогло

Нили:

— Я не помню.

Пол:

— Четвертая — и один. Нили еще был в отключке так что комбинацию назначил я. Что сказать, я гений

— Четвертая — и один, «Спартанцы» не торопясь подходят к линии. Крэншоу чувствует себя не очень уверенно, его пошатывает. Какая игра, какая игра Парни, сейчас должно произойти самое главное. У «Ист-Пайка» на линии девять защитников. Два тейт-энда и ни одного принимающего. Крэншоу находит центр, следует длинный снэп, потом быстрый питч в сторону Марби, тот останавливается, прыгает и навешивает передачу Хиту Дорсеку, который открыт! Дорсек на тридцатой! На двадцатой! Его атакуют на десятой! Он останавливается и падает на третью! Первая попытка за «Спартанцами»! Они у линии гола!

Пол:

— Худшая из передач за время существования организованного футбола. Как умирающий лебедь, от начала до конца. Очень зрелищно.

Силос:

— Здорово. Дорсек не умел ловить, поэтому Нили никогда не пасовал в его сторону.

Нат:

— Никогда не видел никого. бегущего так медленно. Он трусил по полю, как огромный бык.

Силос:

— И мог легко отдавить тебе задницу.

Нили:

— Тот розыгрыш тянулся вечность, а когда Хит вернулся на командное совещание, в глазах у него стояли слезы

Пол:

— Я посмотрел на Нили, и Нили сказал: «Назначай комбинацию». Помню, я глянул на часы. Оставалось три тридцать игрового времени, и нужно было успеть два раза взять очки. Я сказал: «Лучше сейчас, чем с третьей попытки» Силос сказал: «Пойдете за мной»

— Итак, друзья, всего три ярда от земли обетованной, и вот «Спартанцы» идут к линии, быстро занимают позиции, быстрый снэп, мяч у Крэншоу — он входит в конечную зону! Муни и Барри Ватрано бульдозером сносят центр защиты «Ист-Пайка»! Тачдаун «Спартанцев»! Тачдаун «Спартанцев»! Им невозможно противостоять! Тридцать один — двадцать семь! Невероятно!

Бланшар:

— Помню, перед начальным ударом команда собралась в кучу, чудом не заработав фол за задержку.

Все молчали. Пауза затягивалась, и Силос заговорил первым:

— Нам пришлось обсудить дела. Кое-что нужно было сохранить в тайне.

Коуч:

— Это касалось Рейка?

Силос:

— Угу.

Коуч:

— К этому времени он вернулся на поле?

Силос:

— Мы не следили, но после начального удара с боковой линии сказали, что вернулся Рейк. Мы заметили его на краю конечной зоны. Он и четверо других тренеров стояли там в зеленых свитерах, непринужденно засунув руки в брюки. Будто их дело — следить за газоном или вроде того. Картина, по сути, оскорбительная.

Нат:

— Противник или мы. До Рейка нам вовсе не было дела.

Бланшар:

— Никогда не забуду Рейка, как он с помощниками стоял на краю поля. Блудницы, зашедшие в церковь. Мы тогда не поняли, отчего они держались так далеко. Да и до сих пор не понимаем.

Пол:

— Им велели держаться подальше от боковой линии.

5*

Бланшар:

— Кто?

Пол:

— Команда.

Бланшар:

— Почему?

Нат потянулся к регулятору громкости. Голос Бака срывался от нахлынувшего волнения, и падение артистизма компенсировалось увеличением громкости. Бак почти кричал в микрофон, когда игроки «Ист-Пайка» вышли на линию, чтобы разыграть комбинацию

— Мяч на восемнадцатой отметке, стрелки часов замерли на трех двадцати пяти до конца игры. Во второй половине встречи у «Ист-Пайка» три успешных попытки — и шестьдесят один ярд в общей сложности. Все их попытки задохнулись под напором воодушевленных «Спартанцев». Впечатляющий поворот и небывалая игра, лучшая за двадцать два года репортажей о футболе в исполнении «Спартанцев».

Силос:

— Трави дальше, Бак.

— Передача из рук в руки на правый край ради одного, возможно, двух ярдов. Игроки «Ист-Пайка» растерянны, они не знают, что делать, и тянут время понимая, что должны хоть немного продвинуться вперед. Три минуты десять секунд, и стрелки часов продолжают бег. У Мессины остаются все три тайм-аута и, полагаю, они еще сгодятся. Игроки «Ист-Пайка» продолжают тянуть время, медленно идут на совещание, медлят у боковых линий — наконец часы замерли на двенадцати секундах, совещание окончено, команда лениво становится в линию. Четыре-три-два-один, снэп, питч направо Барнаби, Барнаби делает угол, пройдя пять, возможно, шесть ярдов. Третья попытка, комбинация третья, и трое на двадцать пятой отметке — при том, что часы продолжают идти

К воротам подъехала машина — белая, с надписью на дверце.

— Кажется, вернулся Мэл, — сказал кто-то.

Нехотя выбравшись из кабины, шериф потянулся и не торопясь оглядел трибуны. Потом прикурил сигарету. Огонек был хорошо различим с высоты тридцатого ряда. примерно на сороковой отметке.

Силос:

— Нужно было взять еще пивка.

— «Спартанцы» окапываются. Принимающие слева и справа. «Ист-Пайк» на позиции для снэпа. снэп принимает Уэдделл, обманное движение вправо — следует передача влево, на тридцать второй мяч забирает Гэдди, которого тут же сбивает с ног Индус Айкен. Первая попытка у «Ист-Пайка» — и они подтягиваются вперед. Две минуты сорок, пора принимать решение. «Спартанцам» нужен кто-то на боковой линии. Напомню, друзья, команда играет без тренеров.

Бланшар:

— Кто принимал решение?

Пол:

— Когда они реализовали первую попытку, мы с Нили решили взять тайм-аут.

Силос:

— Я вывел защиту к боковой линии, вокруг собралась команда. Все орали. Как вспомню, мурашки идут по телу.

Нили:

— Нат, дай звук, пока Силос не заплакал.

— После первой попытки «Ист-Пайк» на отметке тридцать два. Не спеша заканчивают совещание, расходятся, позиция справа, снэп, Уэдделл отходит, чтобы сделать передачу, осматривается — и отдает мяч вперед и в сторону, на тридцать восьмую. Принимающий не вышел за пределы поля, время не остановлено, две двадцать восемь. Две двадцать семь.

Покуривая у ворот, Мэл Браун пристально изучал тесную группу экс-«Спартанцев», потерявшихся в центре трибун. Он слышал звуки и наверняка узнал голос Бака Кофи, но вряд ли мог разобрать, о какой игре идет речь. Впрочем, у него имелась своя задача Выпустив дым, Мэл поискал глазами укрывшегося в полумраке Кролика.

— «Ист-Пайк» у линии, вторая и четыре, осталось две минуты четырнадцать секунд игрового времени Быстрый питч влево на Барнаби — и он не может идти вперед! На линии его жестко останавливают братья Утли, Ронни и Донни, способные, как кажется, пролезть в любую щель. Они врезаются первыми, за ними бросается вся команда! «Спартанцы» теряют голову но лучше им быть осторожными: блокировка могла оказаться слишком поздней

Силос:

— Поздняя блокировка, грубая игра, штук шесть персональных предупреждений... Бак, нужно выбирать. Нам не стали бы выкидывать флаг в каждом розыгрыше.

Ронни:

— Силос вызывал плохие чувства

— Третья и четыре, меньше двух минут до конца. Пока часы продолжают идти, «Ист-Пайк», как могут, задерживают игру. Выстроившись в линию, одиннадцать «Спартанцев» ждут. Побежишь — и окажешься битым. Спасуешь — и тебя принесут в жертву. Выбор за «Ист-Пайком». Они не в состоянии распорядиться мячом! Уэдделл отходит за линию — это скрин, и Донни Утли забивает мяч в поле! Часы остановлены! Четвертая — и четверо! «Ист-Пайк» должен пробить пант! Одна минута пятьдесят секунд до конца, и «Спартанцы» смогут владеть мячом!

Мэл с новой сигаретой в зубах неторопливо шел по беговой дорожке. Все смотрели, как он приближался.

Пол:

— Прошлый возврат панта сработал, и мы решили повторить попытку.

— Удар низом, мяч приземляется на сороковой отметке, высокий отскок, потом другой. На тридцать пятой его подбирает Алонсо Тейлор — и ему уже некуда идти! Всюду флаги! Пожалуй, это захват.

Пол:

— Пожалуй? Индус со всей дури вцепился ему в спину.

Силос:

— Я хотел сломать ему шею.

Нили:

— Помнишь, я тебя остановил? Бедолага в слезах пошел к боковой линии.

Силос:

— Бедолага... Если встречу — припомню ему.

— Итак, друзья, вот к чему мы пришли. Мяч у «Спартанцев» на их собственной девятнадцатиярдовой линии, им нужно пройти восемьдесят один ярд, и до конца игры остается минута сорок секунд. Счет тридцать один — двадцать восемь. Они проигрывают. У Крэншоу в запасе два тайм-аута и ни одного сделанного паса.

Пол:

— Он не мог отдать пас со сломанной рукой.

— Вся команда «Спартанцев» собралась у боковой линии, и такое впечатление, что они молятся.

Мэл поднимался по ступеням медленно, без обычной для него добродушной целенаправленности. Нат остановил запись, и над трибунами повисла тишина.

— Парни, — негромко сказал Мэл, — тренер скончался.

Материализовавшись из тени, Кролик заковылял по беговой дорожке. Все молча наблюдали, как он исчез за табло для ведения счета. Через несколько секунд фонари на юго-западной стороне погасли.

«Рейкфилд» погрузился в темноту.

Большинство молчаливо сидевших на трибуне «Спартанцев» не знали Мессину без Эдди Рейка. И более старшие игроки, бывшие совсем юными, когда в город прибыл двадцативосьмилетний никому не известный и никак себя не проявивший футбольный тренер, — даже они считали влияние Рейка столь огромным, что легко представляли его вечным. Наконец, до Рейка Мессина ничего собой не представляла. Такого города не было на карте.

Бдения окончились. На стадионе выключили свет.

Несмотря на долгое ожидание неминуемого конца, сообщение Мэла оказалось тяжелым ударом. Каждый из «Спартанцев» на несколько минут ушел в воспоминания. Поставив бутылку, Силос забарабанил по вискам кончиками пальцев. Опершись локтями на колени, Пол Карри молча смотрел на поле, в точку близ пятидесятиярдовой линии, где обычно бушевал и кипел недовольный тренер и куда при сколько-нибудь плотной игре соваться не полагалось. Нили вспомнился Рейк, зашедший в больничную палату с зеленой мессинской шапочкой в руке, — как он негромко что-то говорит своему бывшему всеамериканскому квотербеку, переживающему из-за колена и своего будущего. И как пытается попросить прощения.

Нат Сойер сжал губы, пытаясь не расплакаться. В последние годы Эдди Рейк значил для него гораздо больше, чем прежде. «Слава Богу, что темно», — подумал Нат. Но он знал, что были и другие слезы.

Над небольшой долиной из лежавшего невдалеке города поплыл негромкий звон колоколов. Мессина узнавала новости, так страшившие этот город.

Первым молчание нарушил Бланшар Тиг:

— В самом деле, давайте закончим историю с игрой. Мы ждали пятнадцать лет.

Пол:

— Мы все ринулись по правому краю, Алонсо прошел шесть или семь ярдов, но сделал это вне поля.

Силос:

— Он бы принес очки, но Ватрано не смог остановить лайнбэкера. Я ему сказал — пропустит еще одного, и в раздевалке я сам отрежу ему яйца.

Пол:

— Они собрали всех на линии розыгрыша. Я все спрашивал Нили, может ли он сделать пас, хотя бы не очень сильный, чтобы навесить по центру, перебросив через их вторую линию.

Нили:

— Я мяч-то едва держал.

Пол:

— Вторая попытка, и мы делаем вынос слева...

Нили:

— Нет, на второй мы выставили троих — два принимающих и один в глубине, я отошел назад делать пас, потом прорвался и побежал, прошел шестнадцать ярдов — и не смог выйти за линию. Меня опять сбил Дэвон Бонд, и показалось, что я умер.

Коуч:

— Помню этот момент. Бонд тоже долго вставал.

Нили:

— Я за него не переживал.

Пол:

— Мяч был на сороковой, оставалась примерно минута. Не помнишь, мы опять сделали вынос?

Нили:

— Да, влево. Почти заработали первую попытку. Алонсо опять вышел за линию как раз перед нашей скамьей.

Нили:

— Потом мы попробовали еще раз сыграть в пас, Алонсо промазал, и мы чуть не отдали мяч.

Нат:

— Считай, отдали, но сейфти заступил одной ногой на линию.

Силос:

— Вот тогда я сказал, чтобы больше никаких пасов от Алонсо.

Коуч:

— Как прошло ваше совещание?

Силос:

— Довольно напряженно, но стоило Нили сказать чтобы мы заткнулись, и мы заткнулись. Он все говорил, что мы держим их за горло, что мы победим, и как всегда, мы верили.

Нат:

— Мяч был на пятидесятой — и пятьдесят секунд до конца.

Нили:

— Я велел делать скрытую передачу, и вышло отлично. Пас был слишком быстрый, я едва подцепил и левой откинул мяч на Алонсо.

Нат:

— Красиво получилось. На него наскочили, он ушел и тут встретил стену из блокирующих.

Силос:

— Тогда я и достал Бонда, пока он возился в блоке и ничего не видел, впер шлемом в левый бок — и его унесли.

Нили:

— Возможно, в тот момент мы и выиграли.

Бланшар:

— Трибуны взбесились, тридцать пять тысяч зрителей орали как сумасшедшие, но мы слышали, как ты врезался в Бонда.

Силос:

— Я сделал все по правилам. Хотелось бы иначе, но момент не годился для пенальти.

Пол:

— Алонсо заработал около двадцати ярдов. После травмы часы остановили, так что у нас было сколько-то времени. Нили объявил три розыгрыша.

Нили.

— Не хотелось нарваться на перехват или случайную потерю. А единственный вариант — это растянуть защиту, выставив принимающих по краям, и идти вперед из позиции для снэпа. На первую попытку я поставил десять в нападение, кажется.

Нат:

— Одиннадцать. Первая попытка с отметки двадцать один ярд, и тридцать секунд до конца.

Силос:

— Я сказал им, чтобы кого-нибудь убили.

Нили:

— Нам снесли всех трех лайнбэкеров, а меня прихлопнули на линии. Пришлось взять последний тайм-аут.

Эймос:

— Ты не думал насчет филд-гола?

Нили:

— Да. но нога у Скуби была слабая. Точная, но слабая.

Пол:

— Плюс мы уже год не забивали с игры.

Силос:

— Ногой по мячу у нас не получалось.

Нат:

— Спасибо, Силос. Я во всем полагаюсь на тебя.

Завершающий розыгрыш, предпринятый с шаткой надеждой прорыв, обернулся едва ли не самым знаменитым событием из славной истории «спартанского» футбола. При двадцати ярдах, которые нужно было пройти без тайм-аутов и имея всего восемнадцать секунд до конца матча, Нили выставил по краям двух ресиверов и разыграл снэп, быстро отдав пас Маркусу Марби. Тот сделал три шага, неожиданно остановился — и вернул мяч Нили, который рванул направо и покачал мяч на руке, будто подготавливая бросок. Затем, когда он развернулся в сторону противника, линия нападения пошла вперед, ища того, кто захочет попасть под раздачу. На десятиярдовой линии Нили, несшийся как бешеный, опустил шлем и врезался головой в лайнбэкера и сейфти. Столкновение должно было закончиться нокаутом, однако Нили вывернулся — контуженный, но свободный, хотя и с заплетающимися ногами. — и, получив еще один удар на пяти ярдах, попал в блок на отметке три ярда, где его смогли окружить почти все защитники «Ист-Пайка». Казалось. розыгрыш закончен, а игра сделана — и в этот момент в окружавшую Нили человеческую массу врезались Силос Муни и Барри Вартано, уронив всю кучу-малу в конечную зону. Все еще державший мяч Нили вскочил на ноги, устремив взгляд на молча и безучастно стоявшего в двадцати футах от них Эдди Рейка.

Нили:

— Долю секунды хотелось швырнуть мяч не в землю. а в него, но тут меня приложил Силос, я упал, и все попрыгали на меня.

Нат:

— Выбежала вся команда заодно с группой поддержки, инструкторами и половиной оркестра. Получили за демонстрацию пятнадцать ярдов.

Коуч:

— Никто не обратил внимания. Помню, я взглянул на Рейка и тренеров. Они не двинулись с места, разговаривали о чем-то.

Нили:

— Помню, как я лежал в конечной зоне, почти раздавленный друзьями по команде, и думал: мы только что сделали невозможное.

Рэнди:

— Мне было двенадцать. Помню, как все мессинские фанаты сидели пришибленные, выжатые как лимон. Многие плакали.

Бланшар:

— Ребята из «Ист-Пайка» тоже плакали.

Рэнди:

— Помнишь, после начального удара они провели еще один розыгрыш?

Пол:

— Да, Донни сыграл как молния и блокировал их квотербека. Игра была окончена.

Рэнди:

— Совершенно неожиданно команда в зеленых футболках бегом умчалась с поля. Ни рукопожатий, ни командного совещания после игры — ничего... Все отчаянно неслись в раздевалку. Команда исчезла.

Мэл:

— Мы решили, что вы свихнулись. Хотелось услышать какие-то слова, думали, вы выйдете на награждение.

Пол:

— Выходить мы не собирались. Кого-то прислали, чтобы вызвать нас на церемонию, но мы не открыли дверь.

Коуч:

— Получая второй приз, ребята из «Ист-Пайка» пытались улыбаться. Они еще не оправились от потрясения.

Бланшар:

— Рейк тоже куда-то пропал. Чудом нашли Кролика, которому пришлось выйти на центр поля и получить кубок чемпионата. Выглядело странно, но мы слишком волновались, чтобы об этом задумываться.

Подойдя к холодильнику Силоса, Мэл потянулся за пивом.

— Шериф, угощайтесь, — сказал Силос.

— Я не на службе. — Сделав большой глоток, Мэл начал спускаться по ступенькам. — Парни, хороним в пятницу. В полдень.

— Где?

— Здесь, где же еще...

ЧЕТВЕРГ

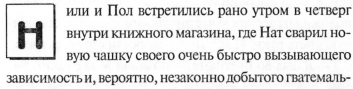или и Пол встретились рано утром в четверг внутри книжного магазина, где Нат сварил новую чашку своего очень быстро вызывающего зависимость и, вероятно, незаконно добытого гватемальского кофе. Нат стоял около узкого стеллажа с оккультной литературой в компании зловещего вида посетительницы — бледной и с черными как смоль волосами.

— Городская ведьма, — сказал Пол не без гордости и в то же время тихо, как бы остерегаясь порчи.

Сразу после восьми утра прибыл шериф, одетый по форме, хорошо вооруженный и чувствовавший себя потерянным в книжном магазине — единственном в городе, да к тому же принадлежавшим гомосексуалисту. Не будь Нат «Спартанцем», Мэл, возможно, завел бы на него дело как на личность определенно подозрительную.

— Парни, вы готовы? — прогрохотал Мэл, явно желая побыстрее свалить.

Посадив Нили на переднее сиденье, а Пола назад, Мэл повез их по центру города в длинном белом «форде» с надписью на дверцах, сделанной крупными буквами и гласившей, что автомобиль является собственностью шерифа. Выехав на основную дорогу, Мэл добавил газа и щелкнул тумблером, включив мигающие огни красного и синего цвета. Хотя и без сирен. Наладив все должным образом, он немного поерзал на сиденье, взял высокий пластиковый стаканчик с кофе и положил на верхнюю часть рулевого колеса искалеченную кисть руки. И все это на скорости сто миль в час.

— Я был во Вьетнаме, — объявил Мэл с таким видом, будто готов говорить без остановки следующие два часа.

Пол сполз на несколько дюймов на заднем сиденье, как настоящий преступник по дороге в суд. Нили следил за дорогой, теперь не сомневаясь, что им предстоит кончить жизнь в штабеле из машин, спрессованных в аварии на узкой дороге.

— Я ходил на небольшом «пибере» по Басаку, протоку Меконга. — Мэл звучно отхлебнул кофе. — Нас было шестеро на маломерном речном катере размером в два раза больше фургона, и наша задача состояла в том, чтобы ходить по реке вверх и вниз и вести огонь. Мы стреляли по всему, что шевелится. Идиоты, в общем. Если близко подходила корова, мы упражнялись в стрельбе по цели. Если на рисовом чеке поднимал голову не в меру любопытный крестьянин, мы палили забавы ради, чтобы увидеть, как он плюхнется в жижу. Наше ежедневное задание не имело какой бы то ни было тактической цели, поэтому мы пили пиво, курили траву, резались в карты и пытались заманить местных девушек на лодочную прогулку.

— Представляю, к чему это привело, — сказал Пол с заднего сиденья.

— Заткнись и слушай. Плывем мы однажды, дремлем, изнываем от жары, загораем, ворочаясь еле-еле, как черепахи на бревне, и вдруг на нас обрушивается кромешный ад. С обоих берегов реки по нам ведут перекрестный огонь. Плотный огонь. Засада. Двое наших сидели внизу. Я на палубе с тремя парнями, которые попадают под выстрелы в первую секунду. Все наповал. Убиты прежде, чем успели схватить оружие. В воздухе летает кровавая пыль. Все кричат. Я лежу на брюхе, не в силах шевельнуться — и тут взрывается топливный бак. Эта хрень не должна находиться на палубе, но разве кто-то думал об этом? Нам было по восемнадцать, и мы были совсем глупые. Бак взрывается. Не успев обгореть, я ныряю в реку. Всплываю рядом с лодкой. Цепляюсь за свисающую с борта маскировочную сетку и слышу, как внутри кричат мои товарищи. Они в ловушке, кругом огонь и дым, и нет выхода. Пока могу, остаюсь под водой. Как только выныриваю, чтобы вздохнуть, гуки переносят весь огонь на меня. Плотный огонь. Они знают, что я под водой и что я задерживаю дыхание. Так продолжается довольно долго, все это время лодка горит и ее несет течением. Крики и кашель в кабине прекращаются, и все, кроме меня, уже мертвы. Гуки в открытую вышли на берег, они идут по песчаной отмели с одной и с другой стороны, им хорошо и прикольно. Я — последний, кто еще жив, и они ждут, пока я сделаю ошибку. Плыву под лодкой, поднимаюсь на поверхность хватануть немного воздуха с одной или другой стороны, вокруг сплошь пули. Подплываю к корме, какое-то время держусь за руль, потом всплываю за воздухом — и слышу, как гуки смеются, обдавая меня фонтанами. В реке полно змей — маленькие такие, заразы, и смертельно ядовитые. Короче, понимаю, что есть три варианта: утонуть, получить выстрел или дождаться змей.

Поставив кофе в гнездо на приборной панели, Мэл закурил сигарету. Слава Богу, он хотя бы приоткрыл окно. Нили тоже приоткрыл свое. Они ехали по сельской местности, то переваливая через холмы, то пролетая мимо тракторов и старых пикапов.

— Ну и что случилось? — спросил Нили, не сразу сообразив, что Мэл ждет от слушателей проявления интереса.

— Знаешь, что меня спасло?

— Скажи.

— Рейк. Эдди Рейк. Цепляясь за жизнь под лодочным днищем, я не думал о мамочке, об отце или о подруге. Я вспомнил о Рейке, как он облаивал нас в конце тренировки, когда полагалось бегать спринт. Вспомнил его речи у нас в раздевалке. Нельзя сдаваться. Нельзя сдаваться. Ты побеждаешь, когда твой дух крепче, чем у того парня, а твой дух крепче, если ты больше тренировался. Если побеждаешь, борись. Если проигрываешь, борись. Борись, если получил травму.

Пока остальные впитывали услышанное, Мэл от души затянулся сигаретой. Тем временем вокруг них гражданские водители жали на тормоза, уступая дорогу власти.

— Наконец меня ранили в ногу. Вы знаете, что пули достают под водой?

— Никогда особенно не задумывался, — признался Нили.

— Чертовски достают. Мне попали под левое колено, в сухожилие. Никогда не было так больно. Как раскаленный нож. Я едва не отключился от боли, а нужно было дышать. Помните, Рейк говорил, что в случае травмы нужно продолжать игру. Я сказал себе, что сейчас Рейк наблюдает. Он стоит где-то у реки и смотрит, чтобы понять, насколько я крут.

Длинная ядовитая затяжка. Мэл, не лишенный добросердечия, выпустил дым в сторону окна и погрузился в тяжелые воспоминания. Повисла долгая пауза.

Прошла минута.

— Так... очевидно, ты спасся, — нетерпеливо сказал Пол, желавший услышать рассказ до конца.

— Мне повезло. Пятерых положили в ящики и отправили домой. Лодка горела и горела — временами я не мог держаться за раскаленный корпус. Потом взорвались аккумуляторы — с такой силой, словно попал снаряд. Лодка начала тонуть. Было слышно, как смеются гуки. Еще я слышал то, что Рейк говорил нам в последней четверти: «Парни, сопли втянуть — и вперед. Сейчас или никогда. Посмотрим, тонка ли ваша кишка».

— Я тоже это слышал, — сказал Нили.

— Стрельба вдруг прекратилась. Потом я услышал вертолеты. Пара вертушек засекли дым и полетели разобраться, в чем дело. Они подошли на небольшой высоте, разогнали гуков, опустили трос и достали меня из воды. Когда поднимали, я смотрел вниз и видел, как догорает лодка. Я видел двух ребят, лежавших на палубе. Они обгорели дочерна. Я был в шоковом состоянии и вырубился. Потом сказали, что на вопрос, как меня зовут, я ответил: «Эдди Рейк».

Посмотрев влево, Нили заметил, что Мэл отвернулся к окну. Голос шерифа дрогнул. На пару секунд отпустив руль, он вытер глаза.

— Значит, ты вернулся домой? — спросил Пол.

— Да, и это счастливый конец моего рассказа. Я оттуда выбрался. Парни, вы есть хотите?

— Нет.

— Нет.

По-видимому, Мэл изрядно проголодался. При-тормозив, он свернул направо и въехал на гравийную площадку перед старым деревенским магазинчиком. От резкой остановки задок «форда» занесло.

— Лучшее из всего, что пекут в этих местах, — ска-зал Мэл, открывая дверь и выходя в облако поднятой им пыли.

Вслед за Мэлом они обошли дом и через рахитич-ную дверь проникли на чью-то тесную и закопченную кухню. Все четыре близко поставленных стола зани-мала местная публика, поглощавшая ветчину и ола-дьи.

К особенному удовольствию Мэла, готового сва-литься в голодный обморок, у загроможденного при-лавка нашлось три свободных места.

— Хотим отведать ваши оладьи, — обратился Мэл к хлопотавшей у плиты худенькой пожилой женщине.

Стало ясно, что меню не потребуется.

Кофе подали с впечатляющей скоростью, сопро-водив оладьями, а заодно маслом и патокой из сорго. Мэл первым набросился на весившую никак не мень-ше фунта порцию с запеченным в тесте коричневым салом. Нили слева от шерифа и Пол, севший справа, последовали его примеру.

— Послушал я ваш вчерашний разговор на трибунах, — сказал Мэл, переключаясь с Вьетнама на футбол. Откусив очередной изрядный кусок, он яростно заработал челюстями. — Вы говорили про финал 87-го Я там был — ну, как и все. Мы поняли, что в перерыве в раздевалке была какая-то ситуация. Что-то вроде перебранки между тобой и Рейком. Знаешь, я никогда не слышал правды о том эпизоде, потому что ребята никогда про это не говорили.

— Можешь назвать это перебранкой, — сказал Нили, продолжая мусолить кусок, первый и единственный.

— Про это не говорил никто и никогда, — сказал Пол

— Так что произошло?

— Перебранка.

— Понятно. Только вот Рейк умер.

— И что с того?

— Пятнадцать лет прошло, вот что. Хочу знать все про эту историю.

Мэл как будто допрашивал предполагаемого убийцу в тюремной камере.

Отодвинув оладьи, Нили уставился на тарелку. Потом вопросительно посмотрел на Пола. Пол кивнул «Продолжай. Теперь можно рассказать».

Отказавшись от еды, Нили выпил кофе и задумчиво посмотрел в сторону прилавка. Медленно и очень тихо он проговорил:

— Первую половину встречи нас избивали, как щенков, и мы проигрывали 0:31, всухую.

— Я был там, — не переставая жевать, сказал Мэл.

— Во время перерыва мы ушли в раздевалку и стали ждать Рейка. Все ждали и ждали... Понимали, что нас съедят живьем. Наконец пришел Рейк вместе с другими тренерами. Он был вне себя от ярости. Нас трясло от страха. Рейк сразу двинулся ко мне. Он смотрел с откровенной ненавистью. Сказал: «Ты ничтожество. Жалкое подобие футболиста». И наотмашь ударил меня по лицу.

— Звук был — как удар деревянной битой по бейсбольному мячу, — сказал Пол, так же, как и Нили, потерявший интерес к еде.

— Он сломал тебе нос? — поинтересовался Мэл, продолжая жевать.

— Угу.

— И как ты ответил?

— Рефлекторно, свингом. Откуда мне было знать, вдруг он захочет ударить еще раз? Ждать не хотелось, и поэтому я ударил хук правой — сильно, как только мог. Попал в лицо, точно по левой челюсти.

— Бомба, а не хук, — сказал Пол. — Голова Рейка дернулась, как от выстрела, и он мешком осел на пол.

— В нокаут?

— Упал трупом. Тренер Апчерч двинулся вперед. Он орал и сквернословил так, словно хотел меня прикончить. Я ничего не видел — потому что глаза заливала кровь.

— Навстречу шагнул Силос, — сказал Пол. — Двумя руками он схватил Апчерча за горло. Силос поднял тренера, бросил к стене и пригрозил убить, если тот двинется с места. Рейк лежал на полу как мертвый. Над ним суетились Снейк Томас вместе с Кроликом и еще одним тренером. На несколько минут возникла неразбериха, а потом Силос толкнул Апчерча, повалив его на пол, и крикнул, приказав всем убираться из раздевалки. Томас что-то возразил, и Силос дал ему подсрачник. Они выволокли Рейка из комнаты, и мы заперли дверь.

— Меня почему-то пробило на слезы, я рыдал и не мог остановиться, — сказал Нили.

Мэл перестал жевать, и вся троица уставилась прямо перед собой — туда, где у плиты хлопотала маленькая женщина.

Пол продолжил:

— Мы нашли немного льда. Нили сказал, что сломал руку. Из носа лилась кровь, и он был как ненормальный. Силос орал на команду. Довольно дикая была сцена.

Отхлебнув кофе, Мэл свернул кусок блина, поваляв его на тарелке так, словно не знал, хочет он есть или нет.

— Нили лежал на полу со льдом, приложенным к носу, и засунутой в лед рукой. У него по глазам текла кровь. Мы ненавидели Рейка изо всех сил и были готовы кого-нибудь убить. Ближе всех оказались эти бедолаги из «Ист-Пайка».

Немного помолчав, Нили сказал:

— Силос опустился на колени рядом со мной и крикнул: «Вставай, «Мистер Вся Америка»! Нужно взять пять тачдаунов!»

— Когда Нили встал на ноги, мы бегом бросились из раздевалки. Из какой-то двери высунулся Кролик. и я слышал, как Силос орал: «Держи своих блядей подальше от боковой линии»!

— Индус запустил в Кролика окровавленным полотенцем, — негромко добавил Нили.

— Потом, уже в четвертой четверти, Нили и Силос собрали команду у скамьи и сказали, что после игры они должны бегом свалить в раздевалку, закрыть дверь и сидеть там, пока не разойдется толпа.

— Так мы и сделали, — сказал Нили. — Сидели там целый час и не высунулись, пока не улеглись страсти.

За их спинами открылась дверь, пропуская одну группу местных наружу, а другую — внутрь заведения

— И вы никогда об этом не говорили?

— Никогда. Мы решили это похоронить, — ответил Нили.

— А теперь пора?

— Думаю, да. Теперь Рейк мертв, и нет смысла скрывать.

— Почему такая секретность?

— Мы испугались последствий, — сказал Пол. — Мы ненавидели Рейка, но он оставался все тем же Рейком. Он ударил игрока, но не более того. А у Нили даже после игры шла носом кровь.

— Наконец, мы слишком глубоко переживали случившееся, — добавил Нили. — Думаю, после игры плакали все пятьдесят игроков. Только что мы победили, преодолев невообразимые трудности. Победили без тренеров, на одном характере — и это сделала горстка мальчишек, оказавшихся под нечеловеческим прессом. Мы решили сохранить все в тайне. Силос прошел по комнате. Он заглянул в глаза каждому, требуя поклясться.

— Сказал, что убьет, если кто проговорится, — добавил Пол.

Мэл полил сиропом очередной объект:

— Хорошенькое дело. Примерно так я и думал.

Пол заметил в ответ:

— Только странно, что не проговорился ни один из тренеров. И Кролик — он тоже держал рот на замке. Полная тишина.

Почавкав, Мэл согласился:

— Мы тоже так подумали. Было ясно, что в перерыве случилось нечто из ряда вон. Нили не мог отдать пас. Говорили, что потом он неделю ходил в школу с гипсом. Значит, он кого-то ударил. Наверное, мог ударить Рейка. С годами сюжет оброс слухами, что для Мессины не редкость.

— Я никогда не слышал подобных разговоров, — заявил Пол.

Новый глоток кофе. Пол с Нили больше не притрагивались ни к еде, ни к кофе.

— Помните такого чувака по фамилии Тагдейл — откуда-то из Блэк-Рока, что ли? На год или два младше вас.

— Как же, Энди Тагдейл, — вспомнил Нили. — Защитник, весил фунтов сто пятьдесят. Чисто цепной пес.

— Он самый. Пару лет назад его взяли за избиение жены и определили в тюрьму на две недели. Я играл с ним в карты — как всегда делал, если мы брали кого-то из бывших игроков Рейка. Я сажал их в отдельную камеру, давал им лучшую еду и отпускал на выходные.

— Это по-товарищески, — заметил Пол.

— Вроде того. Оценишь сам, если я доберусь до твоей банкирской задницы.

— Да ладно...

— Ага. Как-то мы разговаривали, и я спросил Тагдейла о том, что случилось в финале 87-го. Он глухо ушел в себя, был тверд, как тиковое дерево. Ни слова в ответ. Я сказал, что знаю про драку в раздевалке. Ни слова. Через несколько дней я попробовал снова. Наконец он обмолвился, что Силос вытолкал тренеров из раздевалки, приказав им держаться подальше от боковой линии. Тагдейл сказал, что между Рейком и

Нили возникло серьезное противоречие. Я задал вопрос: обо что Нили сломал руку? Что он ударил — стену, шкафчик или школьную доску? Нет, ничего из этого. Спрашиваю: он ударил кого-то? В десятку. Но Тагдейл не сказал, кого именно.

— Мэл, наша полиция работает отлично, — сказал Пол. — Пожалуй, я проголосую за тебя на выборах.

— Поехали, а? — взмолился Нили. — Не люблю эту историю.

Полчаса они ехали молча. Мэл все так же летел вперед с включенной мигалкой и периодически клевал носом, усваивая не в меру обильный завтрак.

После того как, зацепив гравийную обочину, машина шерифа с полмили неслась, разметая камни, Нили выговорил:

— Хотелось бы и мне порулить...

Вдруг проснувшись, Мэл буркнул:

— Не могу, не положено.

Минут через пять шериф снова начал дремать, и Нили пришло в голову поддержать его разговором Подтянув ремень безопасности, он спросил:

— Ты сам брал Джесса?

— Не-а. Его арестовали ребята из штата.

Сменив позу, Мэл оживился и полез за сигаретой Появилась тема для разговора.

— В Майами его выгнали из команды, исключили из школы. Каким-то чудом Джесс не угодил в тюрьму и очень скоро вернулся домой. Парню не повезло. Он сел на наркотики и никак не мог бросить. Семья перепробовала все. Не помогали ни лечение, ни изоляция, ни специалисты, ни прочая ерунда. Семья раскололась. Черт, это убило его отца. Когда-то Траппы владели двумя тысячами акров лучших здешних земель — и все это пропало. Его бедная мамочка живет в том самом большом доме с развалившейся крышей

— Ну и?.. — спросил Пол с заднего сиденья.

— Ну и он начал торговать этой дрянью. Разумеется, Джесс не мог оставаться на вторых ролях. У парня были связи в округе Дэйд, одно вытекало из другого и скоро он наладил хороший бизнес. У Джесса появились своя преступная организация и собственные амбиции.

— Он кого-нибудь убил? — спросил Пол.

— Я еще не закончил! — прорычал Мэл, бросив взгляд в зеркало заднего вида.

— Нельзя подсказать?

— Всегда хотел засадить банкира на заднее сиденье. Ты типичный белый воротничок.

— Всегда хотел ограничить шерифа в правах.

— Стоп, ребята. Перемирие, — скомандовал Нили — Подходим к интересному.

Поерзав на сиденье, Мэл уперся большим животом в руль. Последовал новый сердитый взгляд в зеркало.

— На него вышел наркоконтроль штата — как водится, незаметно. Они прижали одного недотепу, пугнули его тридцатью годами отсидки, обещали, что «опустят» — и убедили поработать «живцом». Устроили якобы закупку. Парни из наркоконтроля укрылись за деревьями и под скалами. Дело пошло криво, все достали пушки, началась стрельба. Человек из наркоконтроля получил пулю в ухо, он умер на месте. «Подсадного» зацепило, но тот выжил. Джесса там не было, но люди работали в его бригаде. Джессом занялись вплотную. Всего через год он стоял перед судьей и слушал приговор: двадцать восемь лет и без всякой пощады.

— Двадцать восемь лет, — повторил Нили.

— Угу. Я находился в зале. Чувствовал себя неуютно — потому что речь шла о талантливом парне, который вполне мог играть в НФЛ. Физические данные, скорость, желание... Наконец, его с четырнадцати лет муштровал Рейк, всегда говоривший, что если Джесс попадет в «Эй-энд-Эм», с ним уже не случится ничего плохого.

— Сколько он отсидел? — спросил Нили.

— Лет девять, может, десять. Я не веду счет. Поесть не хотите?

— Мы только поели, — удивился Нили.

— Быть не может, чтобы ты опять хотел есть, — согласился Пол.

— Нет, но тут близко один небольшой перекресточек, где мисс Армстронг подает отличные блинчики с орехами. Терпеть не могу проезжать мимо.

— Езжай прямо, — сказал Нили. — Скажи себе «нет».

— Мэл, делай так хоть раз в день, — посоветовал Пол с заднего сиденья.

Буфордская тюрьма располагалась на безлесной равнине в конце пустынной асфальтированной дороги, огороженной бесконечной сеткой из проволоки Нили впал в уныние задолго до того, как на горизонте появились какие-либо строения.

Проблемы снял один телефонный звонок Мэла. Их пропустили через главные ворота, и машина поехала в глубь территории. На контрольном пункте они сменили транспорт, вместо широких сидений патрульной машины сев на узкие сиденья переделанной тележки для гольфа. Примостившийся впереди Мэл без остановки трепался с охранником-водителем, увешанным примерно таким же количеством амуниции, как и сам шериф. Нили с Полом устроились на заднем сиденье и ехали спиной вперед, созерцая однообразные заборы из сетки и колючей проволоки. Вдоволь насмотревшись, они миновали «Кэмп-А», длинное и мрачное здание из шлакоблоков, перед которым прогуливались заключенные. По одну сторону яростно играли в баскетбол исключительно черные игроки. По другую сторону резалась в волейбол партия игроков с белой кожей. «Кэмп-B», «C» и «D» представляли не менее унылое зрелище.

— Неужели кто-то в состоянии здесь выжить? — спросил Нили.

Свернув на пересечении, они вскоре добрались до «Кэмп-E» чуть более новой постройки. Тележка остановилась возле «Кэмп-F», они прошли еще полсотни ярдов до места, где забор поворачивал на девяносто градусов. Охранник невнятно буркнул в рацию, ткнул пальцем в пространство и сказал:

— Идите вдоль ограды до белой линии. Он скоро выйдет.

Нили и Пол направились вперед по недавно остриженной траве. Мэл с охранником с безразличным видом остались сзади.

Перед зданием рядом с баскетбольной находилась другая площадка, залитая бетоном, на которой хаотично стояли никак не сочетавшиеся друг с дружкой штанги, скамьи для накачивания пресса и стопки разнокалиберных тяжестей. Блестя мокрыми от пота спинами, под утренним солнцем качали железо несколько чернокожих и белых мужчин очень крупного сложения. Судя по виду, они поднимали тяжести по несколько часов в день.

— Вон он, — сказал Пол. — Только что поднялся со скамьи, крайний слева.

— Точно, Джесс.

Нили как завороженный наблюдал то, что доводилось увидеть очень немногим. Подошедший надсмотрщик что-то сказал Траппу. Заключенный дернул головой и повернулся в сторону металлической ограды, выискивая глазами двух прибывших. Бросив полотенце на скамью, он неторопливой и уверенной походкой мессинского «Спартанца» сошел с бетона, пересек пустую баскетбольную площадку и оказался в итоге на поросшем травой пятачке у изгороди, окружавшей «Кэмп-F»

С расстояния в пятьдесят ярдов он выглядел огромным, но с приближением Джесса его торс, шея и руки оказались истинно ужасными. Когда Джесс учился в выпускном классе, они были второкурсниками. Они играли вместе только один сезон и видели его в раздевалке обнаженным. Видели, как в зале тяжелой атлетики Джесс подбрасывал нагруженные металлическими блинами штанги, и были свидетелями установления всех «спартанских» рекордов лифтинга.

Джесс стал в два раза больше. Шея — как ствол дуба, плечи шириной с дверной проем. Гипертрофированные бицепсы и трицепсы. Брюшной пресс будто вымощенный булыжником.

Джесс был острижен коротко, под ежик, что придавало его квадратной голове еще более правильные очертания. Подойдя, он остановился, глядя сверху вниз.

— Привет, парни, — сказал он, отдуваясь после только что выполненной серии.

— Здравствуй, Джесс, — сказал Пол.

— Как твои дела? — спросил Нили.

— Нормально, не жалуюсь. Рад видеть. Посетителей немного

— Джесс, у нас плохие новости, — сказал Пол.

— Догадываюсь.

— Рейка больше нет. Скончался прошлой ночью.

Джесс понурил голову. Его подбородок почти уперся в грудь. Казалось, от этой новости он стал ниже ростом. Не открыв глаза, Джесс произнес:

— Мать писала. Говорила, Рейк болен.

— Рак. Диагноз поставили год назад, но все кончилось быстро.

— Парни, парни... Я думал, Рейк вечный.

— Наверное, мы все так думали, — сказал Нили.

Десять проведенных в тюрьме лет научили Джесса сдерживать эмоции. Проглотив комок, он поднял голову.

— Ребята... Спасибо, что пришли. Вы были не обязаны.

— Джесс, нам хотелось тебя увидеть, — сказал Нили. — Я всегда о тебе вспоминал.

— Великий Нили Крэншоу.

— Это было давно.

— Почему бы не написать письмо? Мне сидеть еще восемнадцать лет.

— Джесс, я так и сделаю.

— Спасибо.

Пол ковырнул ногой траву.

— Слушай, Джесс... Завтра пройдет служба в его память, на поле. Знаешь, придут очень многие из ребят... Ну, чтобы сказать слова прощания. Мэл говорит, он может подергать кое-какие струны, и тебе выпишут пропуск.

— Парень, никогда.

— Джесс, у тебя там много друзей.

— Пол, бывших друзей. Тех, кого я подвел. Они покажут пальцем в мою сторону и скажут: «Видите дети, это Джесс Трапп. Мог стать знаменитым, но вляпался с наркотиками. Сломал себе жизнь. Учитесь, дети, на его опыте. Держитесь подальше от всякой дряни». Нет, спасибо. Не хочу, чтобы в меня тыкали пальцем.

— Рейк хотел бы, чтобы ты пришел, — сказал Нили

Подбородок Джесса снова упал на грудь, и он опять закрыл глаза. Прошла минута.

— Я любил Рейка как никого в своей жизни. Я погубил свою жизнь и понес за это жестокое наказание Я разрушил жизнь родителей, о чем горько сожалею Но что обиднее всего, я проиграл на глазах у Рейка Это не дает мне покоя до сих пор. Его похоронят без меня.

— Джесс, это хорошая возможность, — сказал Пол

— Спасибо, нет. Я пас.

Наступила томительная минута, в течение которой все трое, опустив головы, молча разглядывали траву. Молчание прервал Пол:

— Раз в неделю встречаю твою маму. Она ничего, более-менее.

— Спасибо. Мама приезжает каждое третье воскресенье месяца. Приезжайте и вы иногда, хоть поздороваться, что ли. Здесь довольно одиноко.

— Джесс, я так и сделаю.

— Обещаешь?

— Обещаю. Надеюсь, ты еще подумаешь про завтра.

— Уже подумал. Я помолюсь за Рейка, так что вы, ребята, можете спокойно его хоронить.

— Ясно.

Джесс посмотрел вправо.

— Это не Мэл?

— Он самый. Мы приехали на его машине.

— Передайте — пусть поцелует меня в жопу.

— Ладно, Джесс, — согласился Пол. — С удовольствием.

— Парни, спасибо.

Сказав это, Джесс повернулся и пошел прочь.

В четверг, в четыре часа дня толпа, собравшаяся у ворот поля «Рейкфилд», разделилась на две части, пропуская катафалк, двигающийся задом. Открыли дверцу. Став в две короткие шеренги, назначенные на вынос вытащили из машины гроб. Среди восьмерых носильщиков не оказалось ни одного бывшего «Спартанца». Продумывая детали своего финала, Эдди Рейк не делал ставок на фаворитов. Тех, кому досталось нести гроб, он выбрал сам из числа ближайших помощников.

Процессия медленно двигалась по беговой дорожке. За гробом следовали миссис Лайла Рейк, ее три дочери с мужьями и целый выводок очаровательных внучат. Дальше шел священник, а за ним двигался отряд барабанщиков «спартанского» оркестра. Против домашней трибуны барабаны рассыпали тихую дробь.

Чтобы защитить священный газон поля «Рейк-филд», между сороковыми отметками натянули огромное белое полотнище, заякорив оттяжки по углам мешками с песком.

Процессия остановилась точно на пятидесятиярдовой линии — в том месте, с которого Рейк руководил игрой так долго и так умело. Гроб поставили на старинный ирландский стол, принадлежавший лучшему другу Лайлы и очень скоро исчезнувший под грудами цветов. Как только тренера устроили должным образом, гроб для короткой молитвы обступила семья. Затем толпа начала выстраиваться в очередь для прощания.

Людская вереница тянулась по беговой дорожке и уходила на дорогу, где бампер к бамперу стояла бесконечная очередь машин, приехавших к полю «Рейкфилд».

Чтобы набраться храбрости, Нили пришлось трижды объехать вокруг дома. На дорожке стояла машина. Кэмерон. Когда он постучал в дверь, волнуясь почти так же, как в первый раз, обед давно закончился. Как будто ему опять пятнадцать, он только что получил права и, сбрив юношеский пушок, с двадцаткой в кармане приехал на родительской машине забрать Кэмерон на их первое настоящее свидание.

Как сто лет назад.

Дверь открыла миссис Лэйн. Как и всегда, только на этот раз она не узнала Нили.

— Добрый вечер, — мягко сказала миссис Лэйн. по-прежнему красивая, утонченная и не желающая стареть.

— Миссис Лэйн, это я, Нили Крэншоу.

И только он это сказал — она узнала его.

— Ах да... Нили, как твои дела?

Догадавшись, что в их доме очень-очень долго не называли этого имени, Нили замялся, не зная, как его примут. Но Лэйны всегда были людьми вежливыми, образованными лучше других в Мессине и чуть более зажиточными. Если бы Лэйны питали к Нили плохие чувства, они не показали бы этого. Во всяком случае, родители.

— У меня все отлично, — сказал он.

— Зайдешь к нам?

Миссис Лэйн распахнула перед Нили дверь, но приглашение выглядело не совсем искренним.

— Спасибо, зайду, конечно.

Войдя, он обвел глазами прихожую.

— Миссис Лэйн, у вас дома красиво, как и прежде.

— Спасибо. Если хочешь, я подам чаю.

— Нет, благодарю. Вообще-то я надеялся увидеть Кэмерон. Она здесь?

— Да.

— Хочу сказать ей несколько слов.

— Мне очень жаль вашего тренера Рейка. Знаю, как он много значил для вас, мальчиков.

— Да, мэм.

Нили покрутил головой, прислушиваясь к голосам, доносящимся из дальних комнат.

— Пойду искать Кэмерон, — сказала миссис Лэйн и исчезла.

Нили ждал и ждал... В конце концов он повернулся к большому овальному окошку во входной двери и замер, вглядываясь в темную улицу.

Потом услышал сзади шаги и знакомый голос.

— Здравствуй, Нили, — сказала Кэмерон.

Он обернулся, и какое-то время они молча смотрели друг на друга. В первую секунду слова не шли. Нили зачем-то пожал плечами и неловко проговорил:

— Просто я ехал мимо. Зайду, думаю, поздороваюсь. Много лет прошло.

— Ну да.

Теперь Нили в полной мере чувствовал тяжесть прошлой ошибки.

Кэмерон выглядела намного лучше, чем в школе. Зачесанные назад и собранные в конский хвост густые рыжеватые волосы. Красиво подведенные очень синие глаза. На Кэмерон были чересчур просторный свитер и джинсы в обтяжку, ясно говорившие о том, что она держит себя в форме.

Он оценил.

— Ты отлично выглядишь, — сказал Нили.

— Ты тоже.

— Может, поговорим?

— О чем?

— О жизни, любви, футболе. Судя по всему, мы едва ли увидимся еще раз. Есть кое-что, что я хочу сказать.

Кэмерон открыла дверь на улицу. Нили прошел через широкое крыльцо. Когда они опустились на ступени, Кэмерон села насколько возможно дальше. Молчание длилось минут пять.

— Я виделся с Натом. Он говорил, ты живешь в Чикаго. Счастливый брак и две маленькие дочери.

— Правда.

— За кем ты замужем?

— За Джеком.

— Джек — он кто?

— Джек Сирайт.

— Откуда он?

— Мы встретились недалеко от Вашингтона. В округе Колумбия. Я там работала после колледжа.

— Сколько лет девочкам?

— Пять и три.

— Чем занимается Джек?

— Рогаликами.

— Рогаликами?

— Да. Такие круглые... У нас в Мессине не было рогаликов.

— Ясно. Хочешь сказать, у него магазин рогаликов?

— Магазины.

— Что, не один?

— Сто сорок шесть.

— Значит, вы хорошо зарабатываете?

— Его компания тянет на восемь миллионов.

— О-па... Моя крошечная компания в лучшие дни стоила двенадцать тысяч.

— Ты говорил, у тебя есть что сказать?

Ни малейшего намека на потепление. Никакого интереса к деталям его жизни.

Нили расслышал легкие шаги по полу в прихожей. Без сомнения, вернулась миссис Лэйн, и она подслушивает. Кое-какие обстоятельства не меняются никогда.

Поднялся легкий ветерок. Перед ними на мощеную дорожку упали дубовые листья. Потерев рука об руку, Нили признался:

— Ладно, слушай. Много лет назад я поступал очень плохо. Ошибался. Делал то, чего позднее стыдился. Я был глупцом. Недостойным, эгоистичным и подлым — и чем старше становился, тем больше об этом жалел. Кэмерон, я приношу извинения. Прости меня, пожалуйста.

— Я тебя простила. Забудь.

— Не могу я забыть. Не нужно меня жалеть.

— Нили, мы были детьми. Шестнадцать лет. Это из другой жизни.

— Кэмерон, мы любили. Я тебя обожал в десять лет Мы брали друг друга за руки за спортзалом, чтобы не засмеяли другие мальчишки.

— Нили... Мне правда не хочется это слышать.

— Хорошо. Но как вырвать это из груди? И почему так больно?

— Нили, мне удалось это пережить.

— У меня вряд ли получится.

— Что за наказание! Может, повзрослеешь наконец? Ты больше не футбольный герой.

— Наконец-то. Вот это я хотел услышать. Давай, бей из двух стволов.

— Нили, ты пришел, чтобы выяснить отношения?

— Нет. Чтобы извиниться.

— Ты извинился. Не пора ли уйти?

На минуту он прикусил язык. Потом сказал:

— Почему ты хочешь, чтобы я ушел?

— Потому, Нили, что ты мне не нравишься.

— Ничего удивительного.

— Понадобилось десять лет, чтобы тебя забыть. И когда я смогла — полюбила Джека. Надеялась, что больше никогда, никогда тебя не увижу.

— Ты хоть меня вспоминала?

— Нет.

— Ни разу?

— Может, однажды. Или раз в год. Как-то Джек смотрел футбол, и квотербек получил травму. Его унесли с поля на носилках. В этот момент я подумала о тебе.

— Приятно.

— Нет, неприятно.

— Я всегда думал о тебе.

Казалось, лед тронулся. Тяжело вздохнув, Кэмерон оперлась локтями на колени. Позади открылась дверь, и к ним вышла миссис Лэйн с подносиком в руках.

— Я подумала, вы захотите горячего шоколада, — сказала она, опуская поднос на край крыльца посередине разделявшего их пространства.

— Спасибо, — сказал Нили.

— Это вас согреет. Кэмерон, оденься.

— Да, мама.

Дверь закрылась, но они не обратили на шоколад внимания. Нили собирался поговорить обстоятельно — так, чтобы захватить не один год и одну тему. Ему хотелось убедиться, что когда-то в Кэмерон жило сильное чувство. Он хотел видеть ее слезы и гнев, хотел, чтобы она ударила его раз-другой. Нили хотел, чтобы его простили по-настоящему.

— Ты в самом деле смотрела футбол?

— Нет. Джек смотрел. Я случайно проходила мимо.

— Он болельщик?

— Нет. Иначе я бы за него не вышла.

— Значит, еще ненавидишь футбол?

— Можно сказать и так. Я уехала в Холлинз. Там учились одни девчонки, и я смогла уйти от этой темы. Моя старшая дочь пошла в школу при небольшой частной академии. И никакого футбола.

— Тогда почему ты здесь?

— Мисс Лайла. Она двенадцать лет преподавала мне фортепиано.

— Верно.

— И уж точно я приехала не в честь Эдди Рейка.

Дотянувшись, Кэмерон взяла чашку и спрятала ее между ладонями. То же сделал Нили.

Поняв, что он не собирается уходить, Кэмерон повела себя немного откровеннее.

— В Холлинзе у меня была подруга, брат которой играл за «Стейт». Как-то, уже на втором курсе, она смотрела футбол. Я как раз вошла в комнату — и на экране появился великий Нили Крэншоу, сам, лично ведущий по полю игроков «Тека» — то в одну сторону, то в другую... Публика визжит от счастья, комментаторы расхваливают молодого отличного квотербека. Тогда я подумала: «Вот и хорошо. Он всегда этого хотел. Герой своего времени среди обожающей его толпы. Навязчивые соученицы по всему кампусу. Лесть без конца и края. «Мистер Вся Америка», доступный всем и каждой. Это Нили.

— Две недели спустя я попал в больницу.

Она пожала плечами:

— Я и не знала. Не следила за твоей блестящей карьерой.

— А кто тебе сообщил?

— Как-то я приехала домой на Рождество и обедала с Натом. Он рассказал, что ты больше не играешь. Такой дурацкий спорт: в нем получают увечья мальчики и юноши.

— Так и есть.

— Нили, скажи наконец, что случилось с девицами? Куда делись те маленькие шлюшки и телки?

— Они исчезли.

— Наверное, это тебя убило.

«Дело пошло, — подумал Нили, — самое время излить желчь».

Вслух он сказал:

— Травма была тяжелой во всех смыслах.

— И ты стал обычным человеком, таким, как все?

— Наверное. Правда, с большим багажом. Нелегко живется забытому герою.

— До сих пор не перестроился?

— Если был знаменитым в восемнадцать лет, остальные проживешь неприкаянным. Будешь мечтать о днях славы, зная, что они давно в прошлом. Лучше бы не видеть футбола никогда.

— Не верю...

— Был бы нормальным парнем с парой здоровых ног. И не совершил бы той ошибки с тобой.

— Ой, Нили... Не ерунди. Нам было по шестнадцать лет.

Отпив из чашек, они несколько минут молчали, готовясь вбросить и отбить новый мяч. Нили долго, несколько недель думал над их встречей. Кэмерон не хотела его видеть. К тому же элемент неожиданности работал не в его пользу: у нее заранее был готов на все ответ.

— Ты все молчишь и молчишь, — произнес Нили.

— Мне нечего сказать.

— Да ладно тебе, Кэмерон... У тебя есть шанс выстрелить сразу из двух стволов.

— С чего вдруг? Хочешь заставить меня выкопать то, что было похоронено с таким трудом? Откуда тебе знать, что такое каждый день ходить в школу и гореть заживо? Нили, я это пережила. Ты, очевидно, нет.

— Есть желание услышать про Скример?

— Черт, ни малейшего.

— Она разносит коктейли в дешевом казино в Вегасе. Она толстая и безобразная и в тридцать два выглядит на пятьдесят, если верить Полу Карри, который ее встретил. Говорят, она уехала в Голливуд, старалась пробиться наверх через постель. В конце концов ее оттеснил миллион других доморощенных королев, пытавшихся сделать то же самое.

— Ничего удивительного.

— Пол сказал, она выглядела усталой.

— Она выглядела такой еще в школе.

— Тебе стало лучше?

— Все было просто замечательно, пока не явился ты. Нили, мне нет дела до тебя и твоей доморощенной королевы.

— Ладно, Кэмерон. Признайся честно. Когда твоя жизнь удалась, наверное, приятно узнать, что Скример опустилась до дешевки? Ты выиграла.

— Я ни с кем не соревновалась. Мне все равно.

— Раньше тебе не было все равно.

Поставив чашку на поднос, она опять склонилась вперед.

— Нили, что ты хотел услышать? Нужно подтвердить очевидное? Я без памяти тебя любила — когда была девочкой, подростком. Это не новость. Я твердила об этом каждый день. И ты говорил то же самое. Мы все время были вместе, вместе занимались уроками, вместе ходили повсюду. Но ты выбился в футбольные герои огромной величины — и все захотели попробовать кусочек. Скример — особенно. У нее имелись и длинные ноги, и красивая задница под короткой юбкой, и большая грудь. Наконец, она была блондинкой и заполучила тебя на заднее сиденье в свою машину. А тебе понравилось. Я осталась правильной девочкой и заплатила за это свою цену. Ты разбил мне сердце, издевался надо мной на виду у всех знакомых — и ты очень надолго сломал мою жизнь. Я так хотела уехать из города, дождаться не могла.

— До сих пор не верю, что я это сделал.

— Сделал.

Ее голос дрогнул. Стараясь не выдать чувства, Кэмерон сжала губы.

Нили сказал:

— Прости.

Затем осторожно поднялся, стараясь не слишком нагружать левое колено.

— Спасибо, что позволила это сказать, — коснувшись ее руки, сказал он.

— Не стоит благодарности.

— Ну прощай.

Нили двинулся по дорожке. Затем, немного прихрамывая, прошел через калитку. Когда он подошел к машине, Кэмерон окликнула его:

— Нили, подожди.

Пережив столь бурный роман с Брэнди Скиммер, больше известной как Скример или Кричалка, а теперь — в куда более узких кругах — под именем Теса Каньон, Нили хорошо знал темные аллеи и тихие улочки Мессины. Покрутившись вокруг Каррз-Хилл, он выехал наверх, ненадолго остановив машину, чтобы с вершины горы бросить взгляд на футбольное поле. Через ворота стадиона и по беговой дорожке вокруг поля еще двигалась очередь из желающих проститься. Со стороны домашней трибуны горели прожектора. На пятачке у ворот было полно машин, то въезжавших, то выезжавших со стоянки.

— Говорят, после того как Рейка уволили, он всегда сидел здесь и наблюдал за играми.

— Сидел бы лучше в тюрьме, — сказала Кэмерон, заговорив впервые с момента, когда машина отъехала от дома.

Они поставили машину около тренировочного поля и, не привлекая к себе внимания, прошли на трибуну гостевой стороны. Забравшись на самый верх, они сели, еще держась на некотором расстоянии друг от друга, хотя немного ближе, чем до того на крыльце.

Довольно долго они наблюдали сцену на противоположной стороне поля.

Белый тент пирамидой выделялся на фоне домашней трибуны. Под тентом едва угадывался гроб, а вокруг стояла упивавшаяся ночным бдением толпа. Мисс Лайла с семьей ушли. На боковой линии по обе стороны от тента появлялись все новые и новые корзины с цветами. Людская вереница молча и терпеливо ждала очереди расписаться в памятной книге, окинуть взглядом гроб, возможно, смахнуть слезу и сказать своей легенде последнее прости. Выше людской вереницы на трибунах теснились мальчишки разного возраста. Они сбивались в небольшие группы. Некоторые разговаривали, кто-то смеялся, а в основном все просто сидели и молча смотрели на поле, на тент и на гроб.

На гостевой трибуне, никем не замеченные, сидели двое.

Кэмерон заговорила первой. Очень тихо она спросила:

— Кто те люди на трибуне?

— Бывшие игроки. Я был с ними прошлой ночью и позапрошлой. Мы ждали, когда умрет Рейк.

— Значит, все они вернулись домой?

— Вернулись многие. Ты вернулась.

— Разумеется. Хоронят самого известного гражданина в городе.

— Ведь ты не любила Рейка, верно?

— Я не любила футбол. Мисс Лайла — сильная женщина, но они не подходили друг другу. Рейк был диктатором на поле и едва ли мог переключиться, придя домой. Нет, Эдди мне безразличен.

— Ты же ненавидела футбол.

— Нет, я ненавидела тебя. И это заставляло ненавидеть футбол.

— Вот оно что...

— Глупость какая. Взрослые мужики ревут в голос после проигранного матча. Весь город живет и умирает ради одной игры. Молебен по пятницам — словно Господу не все равно, кто победит в школьном футбольном матче. На футболистов тратят больше, чем на все секции, вместе взятые. Без всякой меры восхваляют семнадцатилетних ребят, быстро решающих, что они достойны восхваления. И двойные стандарты... Если на экзамене проваливается футболист, все его покрывают. Если проваливается неспортивный мальчик, его исключают. Наконец, глупенькие маленькие девочки — они ждут не дождутся посвятить себя одному из «Спартанцев». На все идут ради команды. Годится любая жертва, принесенная юными девственницами Мессины. Ах, чуть не забыла... «Заводные» куклы! Каждому игроку выделяют по личной рабыне, которая готовит ему по средам, по четвергам вешает бравый лозунг перед его домом, полирует шлем по пятницам — и что он получает по воскресеньям? А, Нили? Перепихон по-быстрому?

— Только если захочет.

— Печальная картина. Спасибо, что избавил меня от этого.

Теперь, при трезвом взгляде на пятнадцать лет назад, он и вправду думал, что это глупо.

— Но ты приходила смотреть игры, — заметил Нили.

— Только иногда. Знаешь, что такое наш город в пятничный вечер? Нигде ни души. Мы с Фиби Кокс пробирались сюда, на гостевую трибуну, и смотрели игру. Мы всегда желали Мессине только проигрыша, но такого никогда не случалось, по крайней мере здесь. Мы насмехались над вашим оркестром, над группой поддержки, над эскадроном «заводных» девчонок. Издевались потому, что не страдали этой ерундой. Я дождаться не могла, когда наконец уеду в колледж.

— Я знал, что ты сидела здесь.

— Врешь, не может быть.

— Клянусь. Я точно знал.

Кто-то из бывших игроков рассказал очередную историю про Рейка, и через поле донесся негромкий смех. В сидевшей под кабиной прессы группе из примерно десяти человек Нили разглядел Силоса и Пола. Пиво лилось рекой.

Кэмерон сказала:

— На заднем сиденье ты получал все, что хотел. Я осталась брошенной, а потом мы должны были два года учиться вместе. Время от времени я натыкалась на тебя в холле, в библиотеке... в классе, наконец. Иногда мы на секунду встречались взглядами. Твое самоуверенно-пренебрежительное выражение на мгновение исчезало. На секунду наш герой терял гонор. В эти короткие моменты ты смотрел на меня, как обычный парень. Я знала, что небезразлична тебе, и без раздумий приняла бы тебя назад.

— Я тоже хотел вернуться.

— С трудом верится.

— Правда.

— Но с другой стороны — радость секса?

— Я не мог ничего с собой сделать.

— Нили, с чем тебя и поздравляю. В шестнадцать лет ты и Скример увлеклись этим делом — и взгляни на нее теперь. Толстая и страшная.

— До тебя не доходил слух о ее беременности?

— Издеваешься? В этом городе слухи как москиты.

— В последнее школьное лето она сказала, что беременна.

— Какая неожиданность.

— Мы отправились на машине в Атланту, там сделали аборт, и я привез ее назад.

— Сутки отдыха — и в койку?

— Близко к тому.

— Нили, я действительно устала от твоей половой жизни. Много лет это было моим проклятием. Сменим тему, или я уйду.

Наступила еще одна неловкая пауза, на протяжении которой они смотрели на поле и думали о том, что скажут дальше. В лицо повеял легкий ветерок, и Кэмерон поднесла к груди сложенные руки. Нили преодолел желание дотянуться и тронуть ее. Только это не поможет.

— Ты не спросила о моей теперешней жизни, — сказал он.

— Извини. Я давно перестала о тебе думать. Не буду лгать: для меня ты пустое место.

— Ты никогда не была чуткой.

— Это преимущество. Экономит много времени.

— Теперь я занимаюсь недвижимостью. Живу один с собакой, встречаюсь с девушкой, которая мне не особенно по душе, и с женщиной, у которой двое детей Вспоминаю бывшую жену.

— Почему вы разошлись?

— Наш брак попросту развалился. Она дважды теряла ребенка, второй раз — на четвертом месяце. Я имел глупость признаться, что однажды заплатил за аборт, и она сказала, что выкидыши случились из-за меня. Она права. Аборт обходится куда дороже трехсот баксов.

— Сочувствую.

— Второй выкидыш случился неделя в неделю десять лет спустя после той короткой поездки в Атланту. Крошечный мальчик.

— Я хочу уйти.

— Прости.

Они опять сидели на крыльце. Свет в доме уже не горел. Мистер и миссис Лэйн спали. Было начало двенадцатого. Немного помолчав, Кэмерон сказала:

— Думаю, тебе пора.

— Конечно.

— Ты говорил, что теперь не перестаешь обо мне думать. Интересно узнать — почему?

— Я не знал, как болит разбитое сердце, пока моя жена не собрала вещи и не уехала. Я в первый раз задумался о том, как ты страдала. Понял, насколько был жестоким. Это довольно тяжело.

— Переживешь. Проходит лет через десять.

— Спасибо.

Начав спускаться по ступеням, Нили вдруг повернулся и пошел назад.

— Сколько лет Джеку? — спросил он.

— Тридцать семь.

— Тогда, по статистике, он уйдет первым. Позвони, когда его не станет, а? Я дождусь.

— Не сомневаюсь.

— Клянусь. Так спокойнее — знать, что кто-то всегда тебя ждет.

— Никогда об этом не думала.

Наклонившись, он посмотрел в ее глаза:

— Можно поцеловать тебя в щеку?

— Нет.

— Кэмерон, в первой любви есть что-то волшебное, что я навсегда потерял.

— Нили, до свидания.

— Можно я скажу, что люблю тебя?

— Нет. Прощай.

ПЯТНИЦА

Мессина скорбела, как никогда прежде. К десяти утра в пятницу закрылись все кафе и магазины, расположенные около центральной площади. Школы отпустили учеников. Закрылись присутственные места. Объявив выходной, остановили работу фабрики с городской окраины, и лишь немногие восприняли это как праздник.

Мэл Браун выставил людей около школы, где в эти поздние утренние часы бампер к бамперу двигались машины, направлявшиеся на поле «Рейкфилд». К одиннадцати часам домашние трибуны были полны народа — бывшие игроки, герои прежних дней, собирались вокруг тента, оккупируя пространство у пятидесятиярдовой линии. Большинство облачилось в зеленые футболки, полагавшиеся каждому игравшему в футбол выпускнику. Естественно, что многие футболки оказались чересчур растянутыми в поясе. Зеленая форма выделялась в толпе, несмотря на то что некоторые — в основном юристы, врачи и банкиры — надели поверх футболок спортивные куртки.

С верхних рядов трибун на тент и на поле смотрели болельщики, получившие шанс узнать прежних кумиров в лицо. Особое восхищение вызывали те, чьи номера давно проводили в почетную отставку: «Смотри, номер 81-й, Роман Армстед. Он играл за «Пэкерс» Смотри-ка, а вон там Нили, 19-й номер...»

Под тентом играл струнный квартет выпускного класса, и звуки, усиленные репродукторами, носились над полем от одной конечной зоны до другой. На поле продолжали идти люди.

Гроба больше не было. Эдди Рейк уже покоился в земле. Около тента стояли мисс Лайла с семьей, прибывшие без официальных церемоний и в течение получаса принимавшие соболезнования и объятия бывших игроков. Незадолго до полудня явился священник, а за ним следом прибыл хор. Толпа продолжала расти. Когда на домашних трибунах не осталось места, люди начали выстраиваться за ограждением вдоль беговой дорожки. Никто не спешил. Наступал момент, память о котором Мессина будет лелеять очень долго

Рейк пожелал, чтобы его ребята вышли на поле Игроки выстроились плотным полукольцом, окружив сооруженный у края тента небольшой подиум. Он захотел, чтобы все надели свою форму. Это пожелание тихо разошлось в самые последние дни его жизни. На покрытой ковром беговой дорожке полумесяцем расставили несколько сотен складных стульев. Около половины первого отец Маккейб подал сигнал, и игроки начали занимать места. В первых рядах расположились мисс Лайла и семья.

Нили оказался между Полом Карри и Силосом Муни, и вокруг них собрались остальные тридцать участников из команды 1987 года. Двое умерли, шестеро пропали неизвестно куда, а остальные не смогли приехать.

У северных ворот заиграла волынка, и толпа притихла. С первыми звуками Силос начал вытирать слезы — и не он один.

Когда затихли последние скорбные ноты, участники церемонии смогли немного расслабиться перед новыми серьезными переживаниями. Отец Маккейб медленно приблизился к ораторскому подиуму и поправил микрофон.

— Здравствуйте, — произнес он резким высоким голосом, на полмили разнесенным репродукторами. — И добро пожаловать на церемонию, посвященную памяти Эдди Рейка. Я приветствую вас от имени и по поручению миссис Лайлы Рейк, ее трех дочерей, восьми внуков и всей семьи, и спасибо, что вы пришли.

Перевернув лист с записями, пастор продолжил:

— Карл Эдвард Рейк родился семьдесят два года назад в Гейтерсбурге, штат Мэриленд. Сорок восемь лет назад он женился на Лайле, в то время носившей фамилию Сандерс. Сорок четыре года назад школьный совет Мессины принял его на работу в качестве главного тренера футбольной команды. Тогда Эдди Рейку исполнилось двадцать восемь лет, у него не было никакого опыта работы тренером, и он говорил, что получил эту работу лишь потому, что на нее никто не претендовал. Эдди Рейк проработал тренером тридцать четыре года, выиграв более четырехсот матчей, тринадцать чемпионатов штата — и мы хорошо знаем остальные цифры. Что более важно, он затронул жизнь каждого из нас. Тренер Рейк скончался в среду вечером. Его похоронили сегодня утром, во время частной церемонии, на которой присутствовали только члены семьи, и по личному желанию самого Рейка, а также с согласия семейства Риорданов его положили рядом со Скотти. На прошлой неделе тренер Рейк признался, что всегда думал о Скотти. Он мне сказал, что ждет не дождется увидеть мальчика — там, в раю, чтобы взять его за руку, обнять и попросить прощения.

Точно рассчитанной паузой отец Маккейб подчеркнул значение сказанного. Затем он открыл Библию.

Прежде чем священник заговорил снова, у ворот произошло какое-то движение. Раздался громкий звук из динамика, потом чьи-то голоса. Хлопнула дверь автомобиля. Ничего не понимая, зрители начали переглядываться. Отец Маккейб повернул голову в сторону ворот. Все посмотрели туда же.

Через ворота на беговую дорожку порывисто вышел огромный человек. Джесс Трапп шел в сопровождении двух тюремных охранников, без наручников и в хорошо отутюженной тюремной робе. Охранники ничуть не меньшего роста были тоже в форме. Узнав Траппа, толпа замерла. Держась прямо, он шел по боковой линии с высоко поднятой головой — но в то же время испытывая явное смущение. Где ему сесть? Удобно ли это? Что, если кто-нибудь возразит? Когда Джесс дошел до конца трибуны, он вдруг услышал, что кто-то в толпе произнес его имя. Узнав голос, Джесс остановился как вкопанный.

За ограждением бочком стояла худенькая женщина, его мать. Когда Джесс наклонился над оградой и крепко обнял мать, охранники переглянулись, словно решив подтвердить — да, это нормально, когда их заключенный обнимает мать. Миссис Трапп вытащила из потертой хозяйственной сумки зеленую форму Номер 56-й, отправленный в почетную отставку в 1985-м. Взяв футболку в руки, Джесс посмотрел на бывших игроков, молча взиравших на него с беговой дорожки. Затем быстро расстегнул пуговицы, сняв куртку перед десятитысячной толпой, когда-то кричавшей ему с трибун и требовавшей расправы над противником. Ровный загар неожиданно великолепной мускулатуры произвел впечатление, и Джесс замер, позволив себе и зрителям насладиться этим моментом. Отец Маккейб, как и все, терпеливо ждал.

Встряхнув футболку, Джесс не торопясь натянул ее через голову, затем расправил образовавшиеся там и тут складки. Чересчур натянувшись вокруг бицепсов, ткань туго охватила грудь и шею — но любой из «Спартанцев» отдал бы жизнь за такую мышечную массу. В талии одежда сидела свободно, но когда Джесс заправлял футболку в штаны, казалось, что ткань вот-вот разъедется.

Джесс снова полуобнял мать

В публике зааплодировали. Некоторые из захлопавших в ладоши начали вставать. Раздались крики:

— Добро пожаловать домой, Джесс! Мы еще любим тебя!

На трибунах возникло движение. Все встали, и поле захлестнула волна аплодисментов, которыми город награждал своего когда-то падшего кумира. Джесс кивнул, затем неловко махнул в ответ и медленно двинулся к месту для оратора. Как только он пожал руку отцу Маккейбу и обнял мисс Лайлу, овация грянула с новой силой. Боком пробравшись через неровный строй бывших игроков, Джесс опустился на складной стул, тут же потерявший форму. Когда он сел, из его глаз капали слезы.

Отец Маккейб подождал, пока снова станет тихо В этот день торопиться было некуда, и никто не смотрел на часы. Он опять подрегулировал микрофон и сказал:

— Одним из самых любимых мест в Библии тренер Рейк считал двадцать третий псалом. Вот столь любимые им строки. В понедельник мы прочитали их вместе: «Если я пойду и долиною смертной тени, не убоюсь зла, потому что Ты со мной; Твой жезл и Твой посох — они успокаивают меня». Эдди Рейк прожил жизнь без страха. Он приучил игроков к той мысли, что робкий и боязливый несовершенен, ибо не удостоится места среди победителей. Кто не рискует — тот не получает награды. Несколько месяцев назад тренер Рейк принял неизбежность собственной смерти Его не испугала болезнь. Он не страшился предстоящих мучений. Рейк не боялся сказать слова прощания тем, кого любил. Он не боялся смерти. Его вера в Бога оказалась сильной и непоколебимой. «Смерть — это только начало» — так он говорил.

Ссутулившись, отец Маккейб отступил от микрофона. Затем махнул рукой, и по этому знаку начал петь хор, составленный исключительно из темнокожих хористок местной церкви. Быстро распевшись, одетые в белые с золотом одеяния хористки завели более энергичную версию «Изумительного благоволения». Как всегда в подобных обстоятельствах, музыка пробуди-

7*

.ла в зрителях чувства. И воспоминания. В душе каждого из бывших «Спартанцев» возникли образы, связанные с Эдди Рейком.

Для Нили воспоминания о Рейке всегда начинались с удара в лицо, сломанного носа, упавшего в нокаут тренера и драматического возмездия в виде кубка штата. После этого Нили обычно подавлял в себе плохие чувства и начинал думать о чем-нибудь хорошем.

Тренеру редко удается заинтересовать игроков до такой степени, чтобы они посвятили жизнь реализации его установок. С шестого класса, когда Нили в первый раз надел спортивную форму, он всегда искал внимания Рейка. И в следующие шесть лет каждая сделанная им передача, каждая утомительная тренировка, каждая выученная игровая комбинация, каждый поднятый вес, каждый час, когда он обливался потом, каждый инструктаж перед игрой, каждый заработанный им тачдаун, каждый выигрыш, каждое искушение, перед которым он устоял, и каждый совершенный им поступок — все делалось только ради одобрения Эдди Рейка. Нили хотел видеть лицо Рейка, когда выиграл матч с «Хейсманом». Он мечтал, что Рейк позвонит ему после того, как «Тек» завоюет национальный кубок.

Но редкий тренер продолжал считать неудачи, если спортивная карьера игрока была закончена.

Когда врачи сообщили Нили, что он больше никогда не сможет играть, возникло такое чувство, будто он обманул ожидания Рейка. Когда расстроился его брак, Нили, казалось, ощущал на себе недовольный взгляд Рейка. Нили вяло плыл по течению лишенной каких бы то ни было амбиций карьеры риэлтера, зная, что Рейк, окажись он поблизости, непременно прочитал бы ему лекцию. Возможно, смерть избавит от витающего над ним демона. Впрочем, у Нили имелись сомнения.

Когда хор закончил пение, на место оратора вышла старшая дочь тренера Элен Рейк Янг, с листом бумаги в руках. Ей, как и сестрам, по окончании школы хватило ума убраться из Мессины, чтобы вернуться, лишь когда этого настоятельно требовали семейные обстоятельства. Тень отца оказалась слишком велика, чтобы дети могли жить в родительском доме Старшей дочери Рейка было за сорок, она работала в Бостоне психиатром и сейчас производила впечатление инородного тела.

— От лица семьи благодарю за молитвы и за вашу поддержку, оказанную в эти последние недели. Отец встретил смерть с мужеством и достоинством. Хотя в последние годы его жизнь складывалась не лучшим образом, он любил этот город и всех его жителей, в особенности — игроков.

В том, что игроки привыкли слышать от своего тренера, не было ни одного слова про любовь. Если он их любил, то выражал это странным способом.

— Отец просил меня зачитать короткие заметки. которые он написал.

Поправив очки, она кашлянула и сосредоточилась на бумажном листке.

— К вам обращается Эдди Рейк, из могилы. Если вы плачете — перестаньте. Покойник никогда этого не любил.

Кое-где по толпе прошел никак не соответствовавший моменту смешок.

— Моя жизнь закончена, и потому не плачьте обо мне. Не плачьте о прошлом. Не оглядывайтесь назад: вам предстоит еще многое сделать. Я счастлив, что прожил замечательную жизнь. Мне повезло, я встретил Лайлу, и она вышла за меня, как только я открыл ей чувства. Господь наградил нас тремя прекрасными дочерьми и, по моим недавним подсчетам, восемью отличными внуками. Одного этого достаточно. Но Господь укрепил меня для еще многих дел, направил заняться футболом, дал мне Мессину и дом. Здесь я встретил вас, мои друзья и мои игроки. Я никогда не умел открыть душу, но хочу сказать этим парням, что глубоко искренне относился к каждому из них. Может ли человек в здравом уме тренировать школьную команду тридцать четыре года подряд? Для меня в этом не было ничего особенного. Я любил моих игроков Хотел бы иметь силы сказать это каждому, но, видимо, такое не по мне. Мы многое совершили, но я не хочу особенно задерживаться на победах и чемпионских титулах. Пользуясь случаем, я скажу про два поступка, о которых сожалею.

Прекратив читать, Элен еще раз кашлянула. Огромная толпа затаила дыхание.

— За тридцать четыре года — два повода для сожаления. Я говорил, что я счастливый человек. Первый — Скотти Риордан. Никогда не думал, что окажусь виноватым в смерти одного из игроков, и принимаю все обвинения. С того самого дня меня не оставляет чувство, что я продолжаю держать Скотти на руках. Я говорил с его родителями и надеюсь, что они простят меня со временем. Я жду прощения и уношу это с собой в могилу. Теперь я вместе со Скотти, навсегда, и в этот момент, примирившись с прошлым, мы смотрим на церемонию с небес.

Ненадолго прервавшись, Элен выпила воды.

— Вторым был тот случай во время финала 87-го года за кубок штата, когда в перерыве я в припадке ярости ударил квотербека, совершив ужасный проступок, из-за которого мог навсегда лишиться места тренера. Прошу за это прощения. Потом я смотрел на их игру с чувством как никогда огромной гордости и боли. Та победа стала лучшим, счастливейшим часом моей жизни. Пожалуйста, простите, ребята.

Нили украдкой посмотрел по сторонам. Многие опустили головы, закрыли глаза. Силос вытер лицо.

— Довольно говорить о плохом. Мои дорогие Лайла, девочки и внучата, пройдет совсем немного времени, и мы встретимся на другой стороне реки. Да пребудет с вами Господь.

Хор запел другой гимн, и слезы потекли рекой.

Нили против своего желания задумался — справится ли Кэмерон с нахлынувшими чувствами? Скорее всего да.

Рейк просил, чтобы трое из бывших игроков выступили и сказали что-нибудь хорошее. «Коротенько» — так было сказано в записке, составленной на смертном одре. Первым встал достопочтенный Майк Хиллиард, нынешний окружной судья из маленького городка в ста милях от Мессины. В отличие от других бывших «Спартанцев» судья был в строгом, хотя и слегка помятом костюме и перекошенном галстуке-бабочке. Взявшись двумя руками за подставку, он заговорил без бумажки, скрипучим голосом, слегка растягивая слова:

— Я играл в первой команде тренера Рейка в 1958 году. Сезоном раньше мы выиграли три игры, проиграв семь. Это расценивалось как неплохой результат, потому что в финальной игре мы разделали «Портервилль» на их поле. Наш тренер переехал в другой город, взяв с собой помощников, и какое-то время оставалось неизвестным, найдут нам нового тренера или нет. Взяли молодого парня, ненамного старше нас, по имени Эдди Рейк. Первым делом он назвал нас кучкой неудачников, сказав, что это заразная болезнь, и если кто думает проигрывать и дальше, тот может сразу убираться. Из нас сорок один человек записался в команду очередного сезона. Тренер Рейк вывез всех на августовские тренировки в старый приходский лагерь около Пэйдж-Каунти, и спустя четыре дня в команде осталось тридцать игроков. Еще через неделю нас было двадцать пять, и многие сомневались, доживут ли они до начала сезона. Тренировки казались более чем жесткими. Но мы были вправе уехать в любой момент, и автобус в Мессину уходил из лагеря каждый день после обеда. Через две недели бегство прекратилось, и с этого момента автобус отъезжал без пассажиров. Ребята, уехавшие домой, охотно делились ужасами о происходящем в Кэмп-Рэйке, как вскоре окрестили лагерь. Наши родители не на шутку встревожились. Потом мама сказала, что волновалась так, будто я ушел на войну. К несчастью, я видел, что такое война, и предпочел бы ограничиться Кэмп-Рейком.

Когда мы покинули лагерь, команда состояла из двадцати одного игрока — и еще никогда мы не обладали такой отличной формой. Мы были еще малы, у нас не было квотербека, но мы верили в себя. Первый матч мы играли на своем поле, против «Фултона» — команды, годом раньше поставившей нас в трудное положение. По-моему, некоторые должны помнить эту игру. Первую половину встречи мы выиграли 20:0, и Рейк обругал нас из-за того, что мы несколько раз ошиблись. Его рецепт был очень прост: занимайся делом и работай, работай — пока не достигнешь совершенства. Его уроки я помню до сих пор. Матч мы выиграли, и, когда в раздевалке уже праздновали победу, пришел Рейк, приказавший всем заткнуться. Очевидно, наша игра в чем-то его не устроила. Рейк заставил нас надеть защиту, и после того, как толпа покинула стадион, мы вернулись на поле и до полуночи тренировались. Мы отрабатывали две комбинации до тех пор, пока все одиннадцать ребят не добились безукоризненной техники игры. Нас ждали девчонки. Нас ждали родители. Выиграть матч — это замечательно, но со стороны иногда казалось, что тренер Рейк немного перегибает. Впрочем, игроки всегда это знали.

В тот год мы одержали восемь побед и проиграли всего две встречи. Так родилась легенда Эдди Рейка. В год моего выпуска мы отдали только одну игру, а в 1960-м тренер Рейк провел первый сезон без единого проигрыша. Тогда я учился в колледже. Я не мог приехать в пятницу, хотя и рвался домой. Играя у Рейка.

попадаешь в небольшой элитарный клуб и всегда следишь за командами, которые идут за тобой. Следующие тридцать два года я, как мог, следил за «Спартанцами». Я сидел здесь на трибунах, когда в 64-м году началась «Полоса удачи», и был в Южном Уэйне, когда в 1970-м она закончилась. Вместе со всеми я следил за прекрасными игроками — Уэлли Уэббом, Романом Армстедом, Джессом Траппом и Нили Крэншоу.

По стенам моего заваленного бумагами офиса висят фотографии всех тридцати четырех команд Рейка. Каждый год он высылал мне новую фотографию. Часто даже в рабочее время я стою перед этими снимками, курю трубку и смотрю на лица молодых ребят, которых он тренировал. Худенькие белые ребята 50-х годов, стриженные под бокс, с невинными улыбками. Косматые парни из 60-х, меньше улыбающиеся, с более уверенным взглядом — и на их лицах отчетливо видна тень облаков войны и борьбы за гражданские права. С фотографий семидесятых и восьмидесятых годов вместе улыбаются белые и чернокожие игроки. Они выше ростом и лучше одеты — а я играл с родителями некоторых из них. Я знал, что в каждом, кто смотрит на меня со стены, есть частица Эдди Рейка. Они играли одни и те же комбинации, слушали одни и те же задания, тренерские нотации, проходили одинаково тяжелые августовские сборы. И каждый из нас когда-то приходил к мысли, что мы все ненавидели

Эдди Рейка. Потом мы уходили из спорта. Наши фотографии вешали на стену, и до конца дней мы слышали его голос в раздевалке, с тоской вспоминая дни, когда звали его Тренером.

Сегодня здесь почти все знакомые лица. Некоторые постарели, поседели и немного располнели. Печально, но мы вернулись, чтобы попрощаться с тренером Рейком. Почему нам это нужно? Почему мы здесь? Почему эти трибуны опять переполнены? Думаю, я могу сказать почему.

Немногим из нас удается сделать то, о чем узнают и что воспримут больше пяти самых близких нам людей. Никто из нас не отмечен великим талантом. Мы оказываемся добрыми, честными, приятными, работящими, преданными, покладистыми, щедрыми и очень, очень порядочными — или противоположностью всего этого. Но нельзя считать нас великими. Величие так редко оказывается рядом с нами, что, если это случается, нам хочется прикоснуться к великому. Эдди Рейк дал нам, игрокам и болельщикам, возможность прикоснуться и быть сопричастными великому. Рейк был отличным тренером, выстроившим спортивную программу, создавшим большую традицию, и он оставил что-то по-настоящему великое — то, что мы будем хранить и приумножать. Надеюсь, большинству из нас предстоит долгая и счастливая жизнь, но мы уже никогда не окажемся так близко к великому. Поэтому мы собрались здесь.

Независимо от вашего отношения к Эдди Рейку, любви или ненависти нельзя отрицать его величие. Он был прекраснейшим человеком. Мои самые счастливые воспоминания относятся к временам, когда я носил зеленую форму, играя в его команде на этом поле. Я скучаю по тем временам. Я слышал его голос, чувствовал его гнев, видел, как упорно он работает и как нами гордится. Мне недостает Эдди Рейка.

Замолчав, Хиллиард опустил голову и неожиданно для зрителей отступил от микрофона. В толпе прошли нестройные, почти робкие аплодисменты. Как только судья сел, с другого места поднялся чернокожий широкоплечий джентльмен в сером костюме, с достоинством направившийся на ораторское место. Под его пиджаком была надета зеленая футболка. Встав к микрофону, джентльмен поднял голову и обвел глазами тесно сидевшую толпу.

— Добрый день, — объявил он голосом, не нуждающимся в микрофоне. — Я — преподобный Коллис Сагз из церкви Бетел, расположенной здесь, в Мессине.

Коллис Сагз не нуждался в представлении для тех, кто жил в радиусе пятидесяти миль от Мессины. В 1970-м Эдди Рейк назначил его первым чернокожим капитаном. Он играл во Флориде в «Эй-энд-Эм» —

недолго, пока не сломал ногу, после чего заделался священником. Впоследствии, собрав большой приход, Сагз занялся политикой. Много лет в Мессине говорили, что вас изберут, только если Эдди Рейк и Коллис Сагз захотят, чтобы вы заняли выборный пост. В противном случае вам советовали убрать из бюллетеня свое имя.

За тридцать проведенных за кафедрой лет он до совершенства отточил искусство проповедника. Сагз обладал идеальной дикцией, превосходно чувствовал нужный ритм и тональность. Все знали, что по воскресеньям тренер Рейк незаметно приходил в церковь Бетел и скромно садился на заднюю скамью, чтобы послушать вечернюю проповедь своего бывшего центрального защитника.

— Я играл у тренера Рейка с шестьдесят девятого по семидесятый.

Большинство слушателей хорошо помнили эти игры.

— В конце июля 1969 года Верховный суд созрел для окончательного решения. Пятнадцать лет со времен процесса «Браун против совета по образованию» — но большинство школ Юга по-прежнему делилось по расовому принципу. Верховный суд принял жесткое решение, и оно навсегда изменило нашу жизнь. Однажды, когда жарким летним вечером мы играли в баскетбол в школе для цветных «Секшн-Хай», в спортивный зал вошел тренер Томас. Он сказал: «Парни, сейчас мы едем в лучшую школу Мессины. Будете «Спартанцами». Марш в автобус». К автобусу подтянулось человек двенадцать. Тренер Томас повез нас через город. Мы тушевались и немного боялись. Про объединение школ говорили много раз, но сроки постоянно оттягивались. Мы знали, что эта школа лучшая — прекрасные здания, отличные поля, огромный спортзал, множество призов и футбольная команда, побеждавшая почти всегда — в то время что-то около пятидесяти или шестидесяти раз. И у них был тренер, решивший, что он — Винс Ломбарди. Да, мы были напуганы, но понимали, что нужно держать хвост пистолетом. В среднюю школу Мессины мы прибыли тем же вечером. Футбольная команда занималась подъемом тяжестей в том огромном зале. Никогда такого не видел. Сорок человек в мыле «качали» железо под грохочущую музыку. Мы вошли, и тут же все стихло. Они смотрели на нас, мы на них. Появился Эдди Рейк. Он пожал руку тренеру Томасу и сказал: «Добро пожаловать в новую школу». Заставив всех поздороваться за руку, Рейк посадил нас на маты и произнес короткую речь. Сказал, что ему безразличен цвет нашей кожи, что все его игроки носят зеленый, что у него отличное ровное поле, что выигрывать — это тяжелая работа, а поражений он не признает. Помню, я сидел на мате и как завороженный смотрел на Рейка. Он сразу стал моим тренером. Рейк умел многое, но прежде всего он побуждал вас к действию. В тот момент мне захотелось встать, надеть защиту и броситься в силовую игру.

Через две недели начались августовские тренировки, по две в день. В жизни не терпел такого сурового обращения. Рейк был прав. Цвет кожи не имел значения. Он гонял нас как собак, не делая различий.

Первые школьные дни прошли в волнениях из-за возможных потасовок или расовых конфликтов. С этим столкнулось большинство школ, но только не эта. Директор поставил Рейка отвечать за безопасность — и все прошло гладко. Он привел в школу ребят в зеленых футболках — тех самых, которые на нас сегодня, — и заставил разбиться на пары, каждая из белого и чернокожего игрока. Задачей было встречать подъезжающие автобусы. Первое, что видел черный паренек, приезжавший в среднюю школу Мессины, — это команда по футболу из расхаживающих парами одетых в зеленую форму черных и белых ребят. Парочка сорвиголов хотела было устроить беспорядки, но их быстро переубедили.

Первый конфликт случился из-за девчонок группы поддержки. Летом репетировали только белые девочки. Тренер Рейк пришел к директору, заявив, что половина на половину — лучшее, на его взгляд, сочетание. Так и поступили. И поныне так. Потом настал черед оркестра. Не хватило денег, чтобы два оркестра объединились и маршировали вместе в мессинской униформе. Кому-то пришлось бросить оркестр — и на боковой линии оказались в основном чернокожие девочки. Тренер Рейк отправился в клуб болельщиков, сказав, что ему нужно двадцать тысяч долларов на униформу для нового оркестра и что в Мессине будет маршировать самый большой оркестр в штате. И так до сих пор и есть.

Объединению сопротивлялись. Многие белые ребята считали, что это временно, что суды примут решения и все вернется назад, к старой системе раздельного, но равноценного обучения. По опыту скажу — раздельное обучение не предполагает равенства. В нашей части города ходило много разговоров о том, позволит ли белый тренер играть черным футболистам. Мы узнали правду через три недели после начала тренировок. В тот год первая игра была против команды «Норт-Дельта». Они выставили на поле только белых ребят, оставив на скамье около пятнадцати черных игроков. Некоторых я знал, и они могли неплохо играть. Рейк поставил на поле лучших, и вскоре мы поняли, что «Норт-Дельта» промахнулась. Мы устроили им хорошую разделку и к перерыву вели 41:0. Во второй половине игры «Норт-Дельта» вывели на поле черных игроков, и, должен признать, мы немного расслабились. Штука вот в чем: с Эдди Рейком никому не позволялось расслабиться. Если он замечал, что игрок сачкует на поле, то немедленно убирал его на боковую линию.

Слух о том, что Мессина всерьез продвигает черных игроков, быстро разошелся по всему штату.

Эдди Рейк оказался первым белым, который повысил на меня голос и заставил принять это обращение. Когда я понял, что ему вправду нет дела до цвета моей кожи, то был готов идти за ним куда угодно Он ненавидел несправедливость. Рейк был нездешним, и он принес с собой иные представления. Никто не имел права на жестокое обращение с другим. и если до тренера Рейка доходила такая информация, столкновение было неизбежным. При всей суровости он остро чувствовал страдания других. Потом, когда я стал священником, тренер Рейк ходил в нашу церковь и помогал нуждающимся. Он открыл свой дом брошенным и страдавшим от жестокого обращения детям. Место тренера не приносило больших денег, но Эдди Рейк никогда не скупился, если кто-то нуждался в еде, одежде или даже средствах на обучение. Летом он тренировал учеников младших классов. Зная Рейка, было бы естественно предположить, что он подыскивал себе новых хорошо бегавших игроков. Он устраивал выезды на рыбалку для детей, лишившихся отцов. Для него это было совершенно естественно.

Преподобный замолчал, чтобы отпить глоток воды. Толпа, следившая за каждым его движением, замерла в ожидании.

— Когда Рейка уволили, я какое-то время провел рядом с ним. Рейк был убежден, что с ним поступили несправедливо. Думаю, по прошествии лет тренер Рейк принял свою судьбу. Мне известно, как он переживал смерть Скотти Риордана. И я счастлив, что сегодня утром его положили в землю рядом со Скотти. Возможно, теперь этот город прекратит междоусобицу. Какая ирония! Человек, нанесший наш город на карту, во всех смыслах сделавший многое для его объединения, стал тем, против кого Мессина боролась десять лет кряду. Давайте же зароем боевые топоры, сложим оружие и заключим мир. Мы едины во Христе. И в нашем прекрасном маленьком городе мы также едины в Эдди Рейке. Спаси Господь нашего тренера. Спаси вас Господь.

Струнный квартет заиграл печальную балладу, не кончавшуюся десять минут.

Пусть на совести Рейка останется его последнее обращение. Пусть на совести Рейка останется его желание в последний раз манипулировать игроками.

Конечно, Нили не мог сказать ничего плохого о своем тренере, в такой момент особенно. Рейк принес извинения из могилы. Теперь он хотел, чтобы Нили, стоя перед всем городом, принял извинения и сказал несколько теплых слов от себя.

Когда Нили получил от мисс Лайлы записку, где его просили выступить и воздать хвалу тренеру, первой его реакцией было выругаться и спросить: «Почему я?» Среди питомцев Рейка хватало тех, кто был ему ближе, чем Нили. Пол посчитал, что таким образом Рейк заключал окончательный мир с Нили и командой 87-го года.

Вне зависимости от обстоятельств Нили не видел способа отклонить предложение. Пол вообще считал это невозможным. Нили сказал, что никогда прежде этого не делал, то есть вообще ни разу не выступал по такому поводу — ни при большом стечении народа, ни перед небольшими группами — и, более того, чтобы избавиться от этого поручения, он скорее предпочел бы сбежать под покровом ночи.

Пока Нили медленно пробирался между игроками, ноги казались ему необычно тяжелыми, и левое колено зудело сильнее, чем всегда. Не хромая, он ступил на небольшую платформу, заняв позицию у микрофона. Посмотрел на огромную толпу, взиравшую на него — и чуть не обомлел. Пространство между двадцатиярдовыми линиями и домашняя трибуна поля «Рейкфилд» на пятьдесят рядов вверх представляли стену из лиц зрителей, восхищенных видом их прежнего героя.

Нили оцепенел, не в силах бороться со страхом. Он боялся этого еще с утра и нервничал. Теперь он был в полном ужасе. Медленно разворачивая лист бумаги, Нили тянул время, чтобы прочитать слова, которые он писал и переписывал все утро. «Не смотри на толпу, — говорил он себе. — Не тушуйся. Эти люди помнят бравого квотербека, а не труса с дрожащим голосом».

С напускной уверенностью он выговорил:

— Я — Нили Крэншоу.

Нили сосредоточился, найдя подходящую точку перед собой на выставленной вдоль дорожки секционной изгороди, расположенную чуть выше голов бывших игроков и ниже первого ряда трибуны. Он решил, что будет говорить, обращаясь к этой точке на изгороди и не глядя никуда больше. Услышав собственное обращение к публике, Нили чуть-чуть успокоился.

— Я играл у Рейка с восемьдесят третьего по восемьдесят седьмой год, — сказал он.

Снова посмотрев в записи, Нили вспомнил поучения Рейка. Страх неизбежен, но не всегда вреден. Обуздай страх и научись его использовать. Само собой, по Рейку, это означало выбежать из раздевалки на поле и задрать первого встретившегося противника. Совет, не подходящий для прочувствованной речи.

Нили еще раз посмотрел на изгородь. Пожав плечами, он попробовал улыбнуться.

— Слушайте, я не судья и не священник. Я не привык говорить на собраниях. Прошу, будьте ко мне снисходительны.

Толпа с радостью простила бы ему все, что угодно. Порывшись в записях, Нили продолжил:

— В последний раз я виделся с тренером Рейком в 1989-м. Я лежал в больнице. Прошло всего несколько дней после операции, и поздно вечером он тайком проник в мою комнату. Зашла медсестра, которая сказала, что он должен уходить, так как часы посещений окончены. Рейк объяснил вполне доходчиво, что уйдет, когда сочтет нужным, и ни минутой раньше. Медсестра попыхтела, попыхтела и ушла.

Подняв глаза, Нили увидел улыбающихся игроков. Улыбок оказалось много. Голос зазвучал увереннее, он постепенно справлялся.

— Я не разговаривал с тренером Рейком с финала чемпионата 87-го года. Теперь все знают почему. Случившееся оставили в тайне. Мы ничего не забыли — потому что это невозможно забыть. Так что мы держали это в себе. Когда тем вечером в больнице я поднял глаза, то увидел стоящего у моей постели тренера Рейка, и он хотел говорить. Прошло несколько неловких минут, прежде чем мы заговорили о том о сем. Он подтащил поближе стул. Мы разговаривали долго —

так, как не говорили никогда. Вспомнили прошлые игры, старых игроков и многое из футбольной истории Мессины. Мы даже смеялись. Рейк хотел знать, насколько серьезна моя травма. Когда я ответил, что доктора почти наверняка убеждены, что я не смогу играть, на глазах Рейка появились слезы, и довольно долгое время он не мог говорить. Многообещающая карьера неожиданно завершилась, и Рейк поинтересовался, что я намерен делать. Мне было девятнадцать. Никаких идей у меня не было. Рейк заставил меня обещать, что я закончу колледж. Обещание, которое я не сдержал. В конце он завел разговор о финальной игре и принес извинения за свои поступки. Рейк заставил меня дать обещание, что когда-нибудь я прощу его. Второе обещание, которое я не сдержал до сих пор.

В какой-то момент Нили, не отдавая себе отчета, оторвал взгляд от записей и от точки на изгороди. Он смотрел прямо на толпу.

— Когда я опять смог ходить, оказалось, что занятия требуют слишком много усилий. Поступив в колледж ради игры в футбол, я неожиданно лишился этой возможности и понял, что не интересуюсь учебой. Через пару семестров я бросил колледж и проболтался несколько лет, стараясь забыть Мессину, Эдди Рейка и все прошлые мечты. Футбол — грязный мир. В досаде на всех я решил не возвращаться и постепенно вытравил из памяти то, что касалось Эдди Рейка.

Месяца два назад я услышал, что Рейк очень болен и, вероятно, не выживет. Прошло пятнадцать лет с того вечера, когда я в последний раз ступил на футбольное поле, участвуя в проводах моего номера. Как и все присутствующие здесь игроки, я почувствовал неодолимое желание вернуться домой. Вернуться на поле, где однажды мы владели миром. Я знал, что должен буду вернуться, когда он умрет. Независимо от моего отношения к тренеру Рейку я был обязан проститься. И наконец искренне принять его извинения. Следовало было сделать это раньше.

На последних словах голос Нили дрогнул. Схватившись за подставку, он замолчал и бросил косой взгляд на Силоса и Пола. Оба кивнули, как бы говоря: «Продолжай».

— Сыграв в команде Рейка, ты оставался с ним навсегда. Ты слышал его голос, видел лицо, тебе недоставало его улыбки или его одобрения. Ты вспоминал его треп и его нотации. Добившись жизненного успеха, хотел встретить его и сказать: «Привет, тренер! Слушай, что я сделал...» Хотелось поблагодарить Рейка, учившего нас, что успех — это не простая случайность. И извиниться за неудачу — потому что Рейк не учил проигрывать. Для него не существовало поражений, а ты нуждался в его совете.

Временами присутствие Рейка становилось невыносимым. Ты хотел сжаться и больше не слышать, как он рявкает. Частенько хотелось сделать как легче, отлынить или втихую срезать угол — так, чтобы не услышать тренерского свистка. Но какой-то голос говорил тебе, что нужно собраться, видеть цель, работать упорнее других, помнить о главном, следить за техникой, верить в себя, не бояться — и никогда, ни за что не сдаваться. Этот голос всегда рядом с тобой.

Теперь нам придется жить без нашего тренера. Только в физическом смысле — потому что его дух продолжает жить в сердцах, умах и душах молодых ребят и мальчиков, ставших мужчинами под его началом. Его дух толкает нас вперед, побуждая к действию и поддерживая в трудностях. Думаю, так будет до конца нашей жизни. Пятнадцать лет спустя я думаю о тренере Рейке даже больше, чем тогда.

Но есть вопрос. Вопрос, который я задавал себе тысячу раз, зная, что все игроки ломают голову над тем же. Вопрос такой: «Я любил тренера Рейка или ненавидел его?»

Голос Нили дрогнул. Стараясь овладеть собой, он закрыл глаза и прикусил язык. Смахнув слезы, он медленно произнес:

— Я отвечал на этот вопрос по-разному с того самого дня, как он, дунув в свисток, облаял меня в первый раз. Любить тренера Рейка не так просто, и пока ты играешь в его команде, об этом нечего и думать. Ты уходишь, но вскоре, столкнувшись с некоторыми трудностями, попав в плохую ситуацию, оступившись или получив от жизни нокдаун, понимаешь, как много значил и значит для тебя тренер Рейк. Ты слышишь, как он говорит тебе встать на ноги, собраться и ни за что не сдаваться. Тебе плохо без этого голоса. Тебе очень плохо, если тренера Рейка нет рядом.

Теперь Нили был натянут, как струна. Пора сесть на место, иначе можно опозориться. Взглянув на Силоса, Нили заметил, что ему показывают кулак, прозрачно намекая: «Заканчивай уже».

— В своей жизни я любил всего пять человек, — сказал он, бесстрашно глядя в толпу. Голос опять дрогнул. Нили прибавил звука: — Я любил моих родителей, одну девушку, которая сегодня находится здесь, мою бывшую жену и Эдди Рейка.

Замолчав, он выдержал щемящую паузу и сказал:
— Теперь я сяду

Когда отец Маккейб, совершив благословение, отпустил толпу, никто не захотел уходить. Город не был готов сказать тренеру последнее прости. Оставаясь на трибунах, зрители наблюдали за игроками, обступившими мисс Лайлу с семьей.

Хор негромко запел спиричуэл, и к воротам медленно направились зрители.

Каждый бывший игрок хотел сказать несколько слов Джессу Траппу, словно разговор мог отсрочить неизбежное возвращение в тюрьму. Спустя час Кролик завел газонокосилку «Джон Дир» и начал обрабатывать траву в южной конечной зоне. В конце-то концов им предстояла игра: пять часов оставалось до начального удара против «Германтауна». Когда мисс Лайла с семьей медленно пошли в сторону от тента, за ними так же медленно двинулись игроки. Рабочие разобрали тент, быстро убрали брезент и складные стулья. Скамьи у домашней трибуны поставили в линию. На поле засуетилась явно выбитая из графика бригада, обновлявшая разметку. Они боготворили Рейка, но поле требовалось разлинеить, да и логотип в центре немного затоптался. Прибыла группа поддержки. Девушки бодро начали развешивать вокруг поля самодельные плакаты. Потом они дружно занялись машиной для создания тумана, обеспечивавшей театральный эффект их появления в конечной зоне. К стойкам ворот привязали огромное количество шариков. Девушкам Рейк представлялся всего лишь легендой, и сейчас у них хватало более важных забот.

Оркестр, хорошо слышный на расстоянии, практиковался в маневрах на одном из тренировочных полей.

Всюду чувствовалась атмосфера футбола. Стремительно надвигался вечер пятницы.

У ворот стадиона игроки пожали друг другу руки. обнялись и дали традиционное обещание собираться чаще. Многие делали снимки на память об остатках команд прошлого. Новые объятия, новые обещания — и еще один полный грусти взгляд на поле, где однажды они играли в команде великого Эдди Рейка.

А потом они ушли.

* * *

Команда 87-го собралась вместе в хижине Силоса за несколько миль от города, оказавшейся старым охотничьим домиком, спрятанным далеко в лесу, у маленького озера. Силос даже потратился на обстановку, и на случай серьезной охоты в доме были бассейн и три помещения в разных уровнях. В воду уходил недавно построенный причал, начинавшийся у сарая для лодок. На нижнем этаже жарили мясо двое работников, без сомнения, квалифицированных и промышлявших угонами. Нат Сойер принес коробку контрабандных сигар. Во льду охлаждались два бочонка пива.

Переместившиеся к сараю для лодок Силос, Нили и Пол уселись в складные шезлонги и принялись болтать о чем угодно, кроме футбола, травить байки и обмениваться нелестными замечаниями. Пиво крепко ударило по мозгам. Шутки мало-помалу становились непристойнее, а смех громче. Мясо подали около шести вечера.

Изначально планировалось смотреть игру «Спартанцев», но никто и словом не обмолвился насчет этой идеи. Ко времени начального удара почти никто не мог вести машину. Силос напился и уверенно шел к очень серьезному похмелью.

Выпив кружку пива, Нили переключился на безалкогольные напитки. Он слишком устал от Мессины и всех этих воспоминаний. Пришло время уехать и возвратиться к реальному миру.

Нили начал прощаться. Его тут же принялись уговаривать. Когда они обнялись, Силос чуть не заплакал.

Нили обещал через год вернуться в эту самую хижину, чтобы отметить годовщину смерти тренера.

Он отвез Пола, расставшись с ним на дорожке возле дома.

Пол спросил:

— Насчет встречи через год... Ты это серьезно?

— Конечно. Я приеду.

— Обещаешь?

— Да.

— Ты не держишь обещаний.

— В этот раз сдержу.

Проехав мимо Лэйнов, Нили не увидел на стоянке машины Кэмерон и подумал: вполне возможно, что она уже дома, за миллион миль от Мессины. Может, она и вспомнит Нили через несколько дней, раз или два, но вряд ли это надолго.

Он проехал мимо дома, в котором прожил десять лет, и мимо парка, где ребенком играл в баскетбол и футбол. Улицы города казались вымершими. Все ушли на «Рейкфилд».

На кладбище Нили дождался, пока в полумраке закончит медитировать другой повзрослевший «Спартанец». Когда одинокая фигура наконец удалилась, Нили осторожно ступил вперед. Присев на корточки рядом с надгробным камнем Скотти, он коснулся холмика из свежей земли, набросанной на могилу Рейка. Произнес молитву, прослезился и долго сидел, молча прощаясь с тренером.

Нили проехал через пустую площадь, затем по боковым улочкам выехал на гравийную дорогу. Поставив машину на Каррз-хилл, он больше часа сидел на капоте, следил за игрой и слушал. К концу третьей четверти ему захотелось уехать.

Прошлое отступило. Оно осталось с Рейком. Нили утомили воспоминания и несбывшиеся мечты.

«Все, — подумал он. — Тебе больше не быть героем. Славного прошлого уже нет».

Уезжая, он обещал себе возвращаться чаще.

Мессина казалась единственным домом, который знал Нили, и здесь прошли лучшие годы его жизни. Он еще вернется. В пятницу вечером он посмотрит, как играют «Спартанцы».

Он посидит с Полом, Моной и их детьми, напьется с Силосом и Колпаком, пообедает в «Ренфроуз».

Он выпьет кофе с Натом Сойером.

И когда в разговоре помянут Эдди Рейка, улыбнется.

Или рассмеется и расскажет историю из собственной жизни.

Ту, что со счастливым концом.

По вопросам оптовой покупки книг
издательства АСТ обращаться по адресу:
Звездный бульвар, дом 21, 7-й этаж
Тел. 615-43-38, 615-01-01, 615-55-13

Книги издательства АСТ можно заказать по адресу:
107140, Москва, а/я 140, АСТ — "Книги по почте"

Литературно-художественное издание

Гришэм Джон
Трибуны

Роман

Художественный редактор О. Адаскина
Компьютерная верстка: О. Попова
Технический редактор Т. Сафаришвили
Младший редактор Н. Дмитриева

Общероссийский классификатор продукции
ОК-005-93, том 2; 953000 — книги, брошюры

Санитарно-эпидемиологическое заключение
77.99.60.953.Д.007027.06.07 от 20.06.07 г.

ООО «Издательство АСТ»
141100, Россия, Московская обл., г. Щелково, ул. Заречная, д. 96
Наши электронные адреса:
WWW.AST.RU E-mail: astpub@aha.ru

ООО Издательство «АСТ МОСКВА»
129085, г. Москва, Звездный б-р, д. 21, стр. 1

ОАО «Владимирская книжная типография»
600000, г. Владимир, Октябрьский проспект, д. 7
Качество печати соответствует качеству
предоставленных диапозитивов